AF497718

PAUPÉRISME ET ASSOCIATION.

LAGNY. — IMPRIMERIE DE GIROUX ET VIALAT.

ASSOCIATION

PAR

Mᵐᵉ GATTI DE GAMOND,

Partout où vous serez trois
réunis en mon nom, mon esprit
sera avec vous.
Paroles de l'Évangile.

PUBLIÉ PAR L'AUTEUR.

PARIS,

TÉA LA LIBRAIRIE, 25, RUE DU VIEUX COLOMBIER,

CHEZ LES PRINCIPAUX LIBRAIRES DU ROYAUME.

1847.

A SA SAINTETÉ

PIE IX.

Celui que le siècle proclame déjà grand par son génie et par ses œuvres ;

Celui dans lequel tous les chrétiens reconnaissent le modèle d'une charité véritablement évangélique.

QUELS SONT LES DROITS ET LES DEVOIRS DU PROLÉTAIRE DANS UNE SOCIÉTÉ BIEN ORGANISÉE.

QUESTION MISE AU CONCOURS DE 1847,
PAR LA SOCIÉTÉ DES SCIENCES, DES LETTRES ET DES ARTS, DU HAINAUT.

Messieurs,

En ouvrant un concours sur un sujet qui tient aux plus hautes questions de morale, de philosophie, et de politique, vous avez fait preuve d'indépendance d'esprit, et d'un amour sincère de l'humanité. Le temps n'est plus où les concours académiques pouvaient se borner à des questions purement littéraires, à des jeux oiseux d'esprit, à des banalités morales, à des discussions stériles de philosophie. Lorsque la raison humaine

grandit de toutes parts, et qu'à mesure que l'ignorance fait place aux lumières, on s'étonne des
maux qui couvrent la surface de la terre ; lorsque
les esprits généreux appartenant à tous les partis,
recherchent s'il n'y pas un remède radical à la
misère des masses, et aux calamités sociales qu'elle
engendre ; lorsque cette misère qui semble croître en proportion de la richesse publique, devient
une menace pour l'avenir des sociétés : il n'est
point permis de s'aveugler sur les maux qui nous
environnent, et réclament des secours pressants ;
il n'est point permis de se réfugier dans la mol-
lesse d'esprit et les féeries de l'imagination ; non,
il faut que chacun apporte son tribut, il faut que
toutes les attentions restent éveillées ; il faut que
les intelligences d'élite provoquent incessamment
la discussion sur le grand problème social. C'est
l'initiative honorable, Messieurs, que vous avez
prise ; et il n'en résulterait que l'utilité d'un bel
exemple, que déjà vous auriez accompli un véritable bien.

Les termes mêmes de la question que vous avez
posée, sont preuve de l'esprit élevé qui vous l'a
dictée ; ils sont aussi un gage de l'appel que vous
faites à l'indépendance des convictions. Vous
cherchez la vérité, et pourvu qu'il y ait sincérité
et logique dans celui qui vous répond, et se joint

par cela même à votre loyale recherche, vous ne posez point de limites à ses investigations ; et si, dans l'ardeur de ses croyances , il vous criait comme Colomb : Là est un monde nouveau! Vous ne répondriez point par le mot *impossible*, et vous n'appelleriez pas *insensé* celui qui aurait vu avec les yeux de la foi, avant de pouvoir rendre sa découverte évidente aux yeux de la science.

La question que vous posez est trop vaste pour qu'il ne soit pas nécessaire, en cherchant à la résoudre, de discuter en même temps les plus hautes questions de religion et de philosophie , ces deux principes souverains des sociétés. L'économie politique, si elle est une science stérile, et se borne à dire ce qui est, rentre dans la statistique, et n'est guère qu'une étude de chiffres; mais si elle est une science féconde, si elle est appelée à dire les droits et les devoirs des prolétaires dans une société bien organisée, dès-lors elle rentre dans le domaine de la morale, et devient la première des sciences philosophiques.

Quels sont les droits et les devoirs du prolétaire dans une société bien organisée? Nous osons répondre *à priori* : les devoirs du prolétaire impliquent ces droits; les uns et les autres ne peuvent être reconnus que dans une société bien organisée, d'où il suit qu'une société *bien organi-*

sée, est celle où les droits de tous sans exception seraient reconnus, et entraîneraient l'accomplissement des devoirs. Les droits de l'homme sont divins et naturels ; le droit entraîne le devoir, l'un est corollaire de l'autre; ils sont imprescriptibles, irrécusables ; là où le devoir n'est point basé sur la reconnaissance du droit, la société est mal organisée, le législateur n'a pas accompli sa tâche.

PREMIÈRE PARTIE.

QUELS SONT LES DROITS DU PROLÉTAIRE ?

CHAPITRE I.

LES DROITS DU PROLÉTAIRE SONT BASÉS SUR LA LOI CHRÉTIENNE.

Dans l'antiquité et sous la loi païenne, on a pu méconnaître et nier les droits de l'humanité. Là société païenne, dominée tout entière par le fait de l'esclavage, en proie aux préjugés de castes et aux haines de nationalité, n'a pu même soupçonner les principes d'*égalité de droits* et de *liberté morale* qui appartiennent à la société chrétienne et à l'âge moderne. Sous la loi païenne tous les législateurs de l'antiquité ont basé leurs sociétés sur l'esclavage, et sur un état de guerre perpétuel; les plus sages philosophes n'ont pas même entrevu que l'esclavage, l'esprit de conquête, l'exploitation de l'homme par l'homme, ne sont point l'état normal des sociétés.

Au milieu de cet aveuglement du monde antique, la loi de Dieu, apportée au peuple hébreux par Moïse, contient seule les principes de justice et d'égalité humaines, renfermés dans cette maxime éternelle : *Ne faites point à autrui ce que vous ne voudriez pas qu'on vous fît.* Moïse fut le plus grand législateur des temps antiques ; il donna seul aux peuples une loi religieuse dépouillée d'idolâtrie, et basée sur l'unité de Dieu et de la création (unité qui déjà constate *l'égalité* pour le genre humain) ; il donna aux peuples une loi civile basée sur l'équité, où les droits impliquent les devoirs et réciproquement, où le serviteur remplace l'esclave, où le patriarchat, tableau raccourci de la grande famille humaine, agglomérait sur une étendue de terre capable de les nourrir, un nombre de familles obéissant à un chef. Le patriarchat fut dans l'antiquité le seul mode social qui offrît une hiérarchie ordonnée, et où les droits des prolétaires fussent proportionnés à leurs devoirs. Le patriarchat, qui est encore le mode social de toutes les tribus nomades, dégénéra en patriciat dans la Rome antique, et en féodalité dans l'Europe chrétienne ; il n'offre plus désormais dans le monde civilisé que les vestiges d'une aristocratie décrépite.

Le christianisme promulguant la loi de fraternité et d'amour, vint compléter la loi de justice promulguée par Moïse, et devint base du grand travail de reconstitution des sociétés humaines, à travers les décombres du monde antique , et le torrent dévastateur des hordes barbares.

Depuis dix-huit siècles le monde chrétien est en travail du code social qui doit appliquer au genre humain les principes de l'Evangile. Le code moral existe pour l'individu; le code politique n'existe point, les sociétés n'ont pu jusqu'aujourd'hui pratiquer les maximes d'égalité et de liberté qui découlent de la fraternité humaine.

Même chez les peuples païens, les mots *égalité* et *liberté* avaient une puissance magique : c'était le but où tendaient les vœux et les efforts ; Athènes, Sparte, Rome, durent leur gloire et leur durée à l'enthousiasme de ces mots héroïques ; mais ce n'était chez eux qu'une égalité factice alliée au plus monstrueux esclavage ; c'était une liberté chimérique alliée au despotisme comme à Sparte, engendrant l'anarchie comme à Athènes et à Rome. D'ailleurs, pour les anciens, la liberté, l'égalité, et tous les biens sociaux, ne furent jamais à leurs yeux que le fruit de la conquête, le prix de

la victoire, le patrimoine exclusif des puissants ;
ils restèrent toujours étrangers aux principes d'u_
nité, d'humanité, et de charité universelle que le
christianisme a révélés.

Les sociétés modernes ont marché infatigable-
ment dans cette voie de régénération. Le christianisme a offert une suite non interrompue de saints
qui ont donné constamment l'exemple au monde
de la pratique absolue des maximes de l'Evangile, en se dépouillant de leurs biens, en se consacrant au service des pauvres, en se faisant les
serviteurs des serviteurs de Jésus-Christ. Tous les
hommes généreux et dévoués à l'humanité, ont
combattu par la parole et par l'épée pour la destruction de l'esclavage, pour l'émancipation des
masses, pour la réhabilitation des castes déchues.
Le législateur, soit roi, soit seigneur féodal, soit
magistrat, soit publiciste, a marché dans cette
voie par la force des choses, et chaque siècle a
dégagé l'humanité de ses liens, a proclamé de
nouveaux droits en faveur du prolétaire. L'histoire nous fait assister en esprit à ce travail providentiel : nous voyons la féodalité succéder à
l'esclavage, les communes rivaliser avec l'esprit
féodal, et le détruire finalement dans sa racine.
Nous voyons le principe républicain qui fut le
principe vivace des sociétés au moyen-âge, où il

s'unissait étroitement à la foi catholique, s'allier depuis au protestantisme et à la philosophie critique, et donner son dernier mot dans les droits de l'homme, proclamés abstractivement à l'Assemblée législative, en 89. Nous voyons le principe du libre examen, ou, si l'on veut, le protestantisme sous toutes ses faces morale, politique et philosophique, renverser les abus, écarter les entraves, proclamer les principes d'égalité et de liberté, mais nous voyons aussi ce principe orgueilleux, voué exclusivement au travail de la critique et de la destruction, inhabile à édifier, et ne sachant en définitive que livrer les sociétés à l'anarchie, au despotisme, et à de désolantes réactions.

Les doctrines socialistes résumant les idées généreuses de tous les siècles, et les progrès de toutes les philosophies, ont donné une nouvelle pâture aux esprits, et ont succédé en quelque sorte aux doctrines purement républicaines. Elles offrent un progrès réel sur la déclaration vague des droits de l'homme ; le droit du prolétaire n'est plus le droit à une liberté abstraite, à une égalité abstraite, c'est le droit précis et positif au travail, à la participation de la richesse sociale, au déploiement des facultés ; les socialistes ont certainement dépassé les philosophes anciens et modernes dans leurs généreuses utopies : toutefois, ainsi que tous les systèmes qui ne s'appuient pas sur les vérités éternelles du christianisme, ces théories n'offrent que déceptions ; elles ne servent qu'à remuer les âmes, à aiguiser les esprits, et donner idée d'une société meilleure sans les moyens de la réaliser. Les Saints-Simoniens, les Owénistes, les Fouriéristes, n'ont même pu former une secte durable, comme les Moraves, les Quakers, et tant d'autres sectes protestantes , qui du moins ne s'éloignent pas du principe chrétien. Les socialistes , dont au fond la doctrine est *païenne* par le principe du *sensualisme*, n'ont pas en eux la puissance de se réunir même trois dans une même *foi* et dans un même *amour*; et c'est parce qu'ils n'ont point cette puissance que Jésus-Christ n'a pu leur appliquer cette parole divine : *Réunissez-vous trois en mon nom, et mon esprit sera avec vous.*

CHAPITRE III

Deux forces ont partagé le monde à toutes les
époques : l'autorité et la liberté, la foi qui réunit et
l'individualisme qui sépare, la soumission qui ac-
cepte et la raison qui proteste ; pour résumer, *la
religion* et *la philosophie*. Toutefois ces forces,
dans leur marche souvent divergente, ont constamment poursuivi le même but, l'émancipation
humaine. La philosophie a dégagé l'esprit humain de ses langes, elle a recherché infatigable-
ment la vérité ; mais ce que la philosophie veut,
la religion seule sait l'accomplir. La philosophie
en résultat est négative, la foi crée et exécute, la
foi religieuse seule réunit les esprits et les âmes ;
seule elle établit l'autorité et la hiérarchie ; seule
elle soulève les masses, et les rend capables de

sublimes efforts. On obtiendra des peuples et des individus un zèle passager, en excitant les passions, en parlant au nom des intérêts ; mais on n'obtiendra un zèle soutenu, constant, un enthousiasme réfléchi et durable, qu'en parlant au nom de ce qui est éternel, de ce qui tient au monde invisible, de ce qui est au-dessus des intérêts et des passions d'ici-bas.

La philosophie, à quelque hauteur d'abstraction qu'elle s'élève, et quel que soit le but généreux où elle aspire, tourne invinciblement dans un cercle d'égoïsme, car prenant le *moi*, la *raison individuelle* pour point de départ, elle rapporte toutes ses conceptions à l'orgueil humain, toutes les actions à l'*intérêt personnel*. Vainement dans ses systèmes de républicanisme, de socialisme, de fraternité universelle, elle veut fondre le *moi* dans *l'humanité*, *l'individu* dans le *tout*, *l'égoïsme* dans le sentiment de *fraternité*, *l'intérêt personnel* dans *l'association* ; elle est impuissante dans ses aspirations généreuses, car la raison pure n'est autre que l'individualisme, elle porte nécessairement l'homme à rapporter à lui la création, à s'en faire le centre. La plus haute philosophie ne lui prêchera en résumé que la jouissance ; si elle lui conseille la modération, si elle lui ordonne quelques vertus, ce sera, comme chez Epicure, le philosophe ancien, ou chez Bentham , le philosophe moderne, dans le but d'un raffinement de jouissances. L'homme dirigé par l'individualisme, s'isole, exploite ses semblables, perpétue l'ignorance, la misère et l'esclavage, et rend la réalisation du code social chrétien impossible.

De même que les progrès et les magnifiques découvertes de l'industrie ont aggravé la misère des travailleurs, de même les progrès des lumières et les magnifiques découvertes de la science, n'ont servi dans ces temps de transition, en ébranlant les croyances, qu'à remplacer toutes les passions généreuses et enthousiastes par le culte exclusif de l'argent. C'est le dieu auquel les nations comme les individus sacrifient, par une conséquence logique de la doctrine de l'intérêt personnel qui est au fond de toutes les philosophies, et qui résume toutes les jouissances matérielles, dans la possession de l'or qui les procure toutes.

La religion au contraire dégage la créature des liens étroits du *moi*, en faisant dominer la matière par l'esprit, en révélant le monde invisible d'où nous venons, où nous retournons, enfin en nous élevant au-dessus des jouissances et des intérêts passagers d'ici-bas par une aspiration constante vers les biens éternels. C'est la religion qui enseigne à l'homme le sacrifice, le dévouement, l'a-

mour du devoir ; elle lui inspire la résignation, et
lui fait aimer la souffrance. Elle lui enseigne la
vertu, non point par *raisonnement*, mais par sentiment ; elle ne lui démontre point comme les
stoïciens que la douleur n'est pas un mal, mais
lui inspire par l'amour de Jésus-Christ l'amour ar-
dent du prochain, et par cet amour la joie de souffrir pour Jésus-Christ et pour le prochain. C'est
par l'effet de cet amour que les martyrs de la religion meurent dans des délices ineffables, et voient
avec les yeux de l'âme le ciel qui s'entr'ouvre pour
les recevoir ; tandis que le Brutus antique, le
martyr républicain, s'écrie, en se perçant de son
épée après la bataille de Philippes : *O vertu, tu
n'es qu'un vain nom !* Tandis que nous voyons
encore de nos jours cette foule de martyrs de la liberté et du patriotisme, mourir dans le désespoir,
douter d'eux-mêmes et de l'avenir, nier la vertu
ainsi que Brutus, et ne pas entrevoir, à l'exemple
des martyrs chrétiens, un monde meilleur ni ici-
bas, ni là-haut.

Il nous était nécessaire, dès le commencement
de ce travail, de déterminer les influences diverses qu'ont exercées jusqu'aujourd'hui sur les sociétés les deux principes souverains, la religion et
la philosophie, car il est évident à nos yeux que
l'application des maximes évangéliques dans le

code social ne s'opérera jamais radicalement que par la fusion de ces deux principes. Si la religion seule possède la puissance de remuer profondément les masses, de les enthousiasmer, et de diriger tous les efforts vers un but unique, le rôle de la philosophie est de marquer ce but, de tracer les voies qui y conduisent, et de poser des limites au possible. Il y a donc un égal aveuglement et fanatisme à vouloir repousser l'un ou l'autre de ces deux principes, et à prétendre s'appuyer exclusivement sur la raison pure ou sur la foi aveugle.

CHAPITRE III.

ACCORD DE LA LOI NATURELLE AVEC LA LOI CHRÉTIENNE.

Quels sont les droits du prolétaire ? La religion et la philosophie donnent la même solution à cette question. Tous les esprits généreux, à quelque secte, à quelque parti qu'ils appartiennent, déclarent dans les mêmes termes les droits des prolétaires. Tous réclament en faveur des masses : *Les soins physiques pour l'enfance, l'instruction élémentaire, l'éducation morale, les instruments de travail, le droit au travail, le* MINIMUM, *c'est-à-dire le nécessaire de l'existence.* Tous le réclament au nom de la loi religieuse, au nom de la loi naturelle; tous, même ceux qui veulent conserver la société comme elle est, avec ses inégalités de naissance et de fortune, ne peuvent s'empêcher de convenir qu'il serait d'une rigoureuse justice que toute créature eût le nécessaire, et possédât le droit de gagner sa subsistance par son travail. Aujourd'hui beaucoup écartent les yeux de la misère des masses, et s'efforcent d'en distraire leurs pensées; mais aucun, même parmi les cupides et les égoïstes, ne nie que cette misère existe, et qu'elle ne soit un mal effroyable, une flagrante iniquité sociale.

La religion réclame impérieusement au nom de la charité évangélique le minimum d'existence, et l'éducation morale pour toutes les créatures. Les sociétés ne peuvent pas se dire vraiment chrétiennes, tant qu'elles porteront en elles les hideuses plaies de la misère et de l'abrutissement des masses. Comment des hommes, ceux qui possèdent, peuvent-ils se dire frères de ceux qui ne possèdent rien, pas même la nourriture quotidienne ? Comment ceux qui dirigent les sociétés, peuvent-ils se dire chrétiens, s'ils n'emploient tous leurs efforts à guérir ou à soulager tant de maux qui accablent leurs semblables, et qui vicient l'âme en même temps que le corps ?

C'est un devoir absolu pour quiconque se dit chrétien, de combattre de tout son pouvoir le paupérisme, de rechercher par tous les moyens à l'effacer des sociétés.

La philosophie réclame de son côté au nom de la loi naturelle. La terre appartenait primitivement à toutes les créatures ; chacun avait le pouvoir d'y chercher sa subsistance ; la chasse, la pêche, la culture, étaient des droits communs ; lorsqu'une famille ou une tribu devenait trop nombreuse sur un même point, les chefs se séparaient, et s'étendaient sur une terre plus vaste, ainsi que nous le voyons dans l'Écriture par l'exemple de Loth qui se sépare d'Abraham. Le droit de propriété provint de la conquête ; la conquête engendrant la servitude, a été le fait permanent de l'histoire ancienne et moderne ; aussi loin que la tradition remonte, on trouve la migration incessante des peuples se heurtant les uns les autres pour se disputer la possession des contrées fertiles ; on voit des nations disparaître de la surface de la terre, entièrement détruites par le fer des vainqueurs ; on voit ces derniers faire le partage des terres, en créer le droit de propriété, et imposer la servitude au reste des populations vaincues. Ce mouvement de migration armée, qui établit la domination romaine sur l'Orient et l'Occident, qui détruisit cette même domination par les invasions successives des Barbares, qui renouvela les races de toute l'Europe en même temps que de toute l'Asie, qui en définitive donna l'Europe au christianisme et l'Asie au mahométisme, comme si par un dessein providentiel, les sociétés devaient opter, après expérience faite, entre le principe *sensualiste* et le principe d'*abnégation* : ce mouvement de migration armée s'est perpétué jusqu'à nos jours dans la conquête de l'Amérique, de l'Inde, et nous dirons même de l'Algérie.

Aujourd'hui, dans l'Europe civilisée et chrétienne, vainqueurs et vaincus ne forment qu'un peuple, il y a fusion des races, anéantissement des castes, et les conditions diverses se touchent et se confondent. L'argent est la barrière la plus réelle qui sépare désormais les hommes. Mais aujourd'hui le droit de propriété a tout envahi ; il n'est plus un coin de terre qui n'ait son maître ; le prolétaire qui vient au monde nu , n'a droit ni à l'éducation, ni au travail, ni à sa subsistance ; la société lui accorde, il est vrai, des secours, mais c'est à titre de secours, et ne lui reconnaît pas même le droit d'être secouru. Dans les pays constitutionnels, le prolétaire jouit, à la vérité, des droits civils ; sous ce rapport, il est l'égal devant la loi de ceux qui possèdent ; mais il n'a point le droit *de vivre,* il n'a point *le droit au travail,* qui seul peut lui assurer sa subsistance.

CHAPITRE IV.

DROIT AU TRAVAIL.

Le droit au travail largement compris impliquerait pour le prolétaire tous les autres droits ; car si le droit au travail lui assurait le nécessaire, ou, pour mieux dire, l'aisance pour lui et sa famille, il en résulterait la possibilité d'une bonne éducation pour ses enfants; du seul fait de l'aisance générale dans la classe ouvrière, la richesse sociale serait centuplée, puisqu'on trouverait tout-à-coup des millions de consommateurs, c'est-à-dire d'*acheteurs*, et que dans l'état actuel ce sont les acheteurs qui manquent aux produits. *Le droit au travail* enfantant *l'aisance* pour la classe ouvrière, changerait donc immédiatement la face des sociétés, en procurant par l'éducation générale, des moyens de moralisation qui manquent aujourd'hui à cause de l'extrême misère; *le droit au travail,* en multipliant les produits à l'infini, donnerait aux nations de tels leviers de force et de puissance, un si grand redoublement d'activité, que les entreprises les plus gigantesques pourraient s'accomplir, et que ce seraient non-seulement les sociétés civilisées qui se transformeraient, mais encore le globe dans toute son étendue.

Tous les droits des prolétaires sont donc en quelque sorte compris dans ce droit unique, *droit au travail, travail rétribué proportionnellement aux nécessités de l'existence.* Et par ce mot, *nécessités de l'existence,* on ne doit point comprendre la pâture quotidienne, telle qu'on la donne aux animaux, mais la participation à toutes les jouissances sociales, à tous les bienfaits du créateur;

'*le minimum*, selon la loi chrétienne, n'est point, comme par exemple pour le prolétaire irlandais, une quantité de pommes de terre, la qualité la plus inférieure, en exacte mesure pour qu'il ne meure point de faim ; ce n'est point, toujours comme en Irlande (le pays du monde où le prolétariat est le plus hideux), de réduire la vie de l'homme à se procurer péniblement cette chétive nourriture, puis à s'accroupir dans sa cabane comme l'animal immonde en attendant que le temps s'écoule ; le *minimum* accordé par une société chrétienne à tous ses enfants, comprend la nourriture de l'âme en même temps que la nourriture du corps ; il comprend les joies de la famille, la moralisation des enfants, la participation réelle à tous les droits des citoyens ; il comprend la jouissance des arts, la compréhension du beau dans le domaine moral, littéraire et artistique, et la possibilité de l'accomplissement de tous les devoirs.

Qui ne découvre la magnificence des résultats d'un semblable *minimum* accordé à toutes les créatures ? A mesure que s'en étendra le bienfait, on verra disparaître de la surface de la terre ses plus terribles fléaux, la misère, l'abrutissement, l'esclavage, et les maladies du corps et de l'âme que ces maux entraînent à leur suite. On verra la richesse engendrer la richesse, sans peine, sans efforts, sans exploitation de l'homme par l'homme, et les produits se répartir équitablement au talent et au travail, du moment que le travail deviendra un droit et la première des richesses.

La société désormais véritablement chrétienne, et réalisant les maximes évangéliques de fraternité et de charité, se dégagera de toutes les corruptions, par la seule puissance de la liberté morale accordée à tous ses membres ; car lorsque tous posséderont l'aisance, et n'auront plus à craindre la misère dont on ignorera même le nom, les hommes ne vendront plus leur conscience, ni les femmes leur honneur. Les mœurs seront régénérées, et le mariage sera désormais sanctifié par le seul fait de l'indépendance et de la régénération de la femme. L'égoïsme et la cupidité, vices honteux engendrés par la terreur de la misère, se déracineront du cœur humain, et l'on ne pourra plus même concevoir l'avarice, folie monstrueuse infligée aux hommes pour les punir dans leur cupidité même. Toutes les mauvaises passions, envie, jalousie, ambition, haine, vengeance, se modifieront naturellement dans une société bien organisée, où chacun possédant une somme de jouissances, cessera d'être le convoiteur et l'ennemi de la jouissance d'autrui. Toutes les passions bonnes ou mauvaises (et toutes sont bonnes en germe,) n'étant plus surexcitées par la lutte perpétuelle des intérêts sociaux, ne serviront, ainsi que Dieu l'a voulu, qu'à entretenir dans les âmes l'activité nécessaire aux travaux, l'enthousiasme nécessaire à la vertu, le désir nécessaire à la jouissance. Le législateur pourra donner tous ses soins, toute sa sollicitude, appeler le concours de tous les efforts et de toutes les lumières, à l'œuvre essentielle des sociétés, *l'éducation nationale.* Le législateur arrivera à démontrer invinciblement que l'*égalité des droits* tant réclamée dans l'antiquité et dans les temps modernes consiste tout entière dans le déploiement intégral des facultés accordé à toutes les créatures; que ce déploiement ne saurait s'obtenir que par *l'éducation unitaire,* et que l'éducation unitaire peut seule enfanter *le juste classement des capacités :* ce qui serait le dernier terme d'une société bien organisée.

DEUXIÈME PARTIE.

DEVOIRS DES PROLÉTAIRES.

—

CHAPITRE I.

LES DEVOIRS DU PROLÉTAIRE DANS UNE SOCIÉTÉ BIEN ORGANISÉE, SE RÉSUMENT DANS LA SOUMISSION AUX LOIS.

Nous étendrons-nous longuement sur les devoirs des prolétaires ? Ils sont une conséquence de leurs droits. Ne venons-nous pas de démontrer que dans une société bien organisée, où les droits naturels et divins de toutes les créatures seraient reconnus, les vices se trouveraient presqu'extirpés du cœur humain en même temps que la misère et l'ignorance, et que les passions deviendraient essentiellement des instruments de prospérité

pour les sociétés, de bonheur pour les individus.
D'ailleurs, dans une société où existerait primitivement le droit au travail, le mot prolétaire n'aurait plus la signification qu'on lui donne aujour-
d'hui, et qui emporte l'idée non-seulement de la
non-propriété, mais encore du dénuement et d'une
existence précaire. Le jour où le prolétaire aurait
un droit positif au travail, il posséderait de fait
un revenu, revenu moins chanceux que celui des
propriétaires et des capitalistes actuels ; du jour
où il aurait sa subsistance assurée, il serait dans
une situation moins précaire que tous ceux qui,
dans la société actuelle, vivant d'un emploi ou
d'une profession libérale, ou d'une industrie, ne
sont pas sûrs que quelque changement dans le
monde politique, artistique ou industriel, ne leur
enlève subitement leurs moyens d'existence, et ne
les laisse aussi dénués, aussi embarrassés de vivre que le prolétaire même. Le droit au travail,
s'il peut se réaliser, anéantit le prolétariat, car le
prolétariat, c'est de n'avoir point *le droit de vivre*, c'est d'être toujours à la veille de manquer
de travail et de pain.

Modifiant donc la question, nous demanderons :
*Quels seraient les devoirs des travailleurs dans
une société où le droit au travail serait reconnu?*

De même que nous avons résumé les droits en

un seul, *droit au travail,* nous résumons les devoirs en un principe unique : *la soumission aux lois qui régiraient cette société.* Soumission au code moral, soumission au code politique, soumission au code religieux, qui ne formeraient désormais qu'un seul code, soumission qui serait amour du prochain, amour de la patrie, amour de l'humanité, car l'homme racheté de la misère et de l'ignorance, recevrait doublement le baptême de rédemption institué par notre Sauveur, il serait racheté des suites du péché originel sur cette terre comme dans le ciel. Sa soumission aux lois deviendrait une adoration, une sorte de cu'te, puisque ces lois seraient désormais religieuses en même temps que civiles et politiques, et que le pouvoir chargé de les exécuter aurait quelque chose du caractère divin, en devenant véritablement organe de la voix du peuple, de la volonté générale.

CHAPITRE II.

LE DEVOIR EST DIFFICILE LORSQUE LE DROIT N'EXISTE
PAS. TACHE PÉNIBLE DU LÉGISLATEUR.

Le droit implique le devoir et réciproquement.
Le devoir est difficile, aujourd'hui que le droit
n'existe pas ; et cependant, par une conséquence
nécessaire d'un ordre de choses vicieux, moins le
droit existe, et plus le législateur se montre sé-
vère. C'est-à-dire qu'en mesure même des maux
qui accablent les masses et engendrent les crimes
et les rébellions, la société doit employer des
moyens de répression et de rigueur. Aux ouvriers
lyonnais qui réclament du travail ou la mort, elle
répond par la fusillade et le canon. C'est à peu
près la seule solution que le gouvernement britan-
nique sache donner aux maux atroces qui pèsent sur l'Irlande. En Angleterre même, ses hideuses *work-houses* (1) ne sont autres qu'une

(1) On sait que dans les *work-houses*, (maisons de
travail) établies en Angleterre, les pères sont séparés

mort lente, une torture cachée, qu'elle inflige
pour châtiment à la misère de ses propres enfants. Dans tous les pays, les tribunaux, la prison, l'échafaud, sont les moyens ordinaires de
réprimer les crimes qui, presque toujours, prennent leur source dans la misère et le manque d'é-
ducation. Les adoucissements mêmes accordés à
la misère par la société, les hôpitaux, les dépôts
de mendicité, les bureaux de charité, les écoles
gratuites, ne sont que de faibles palliatifs, en-

de leurs enfants, les femmes de leurs maris. Ainsi se
met en pratique le hideux remède au prolétariat, indiqué par Malthus, de porter empêchement à la multipli-
cation de la race des prolétaires. Dans ces mêmes
work-houses, la nourriture qu'on donne à ces malheureux est tellement insuffisante, que la faim les dévore
perpétuellement, et qu'ils se jettent comme des animaux
sur les plus dégoûtantes immondices, *sur des os pour-
ris et déjà rongés*, ainsi qu'on l'a déclaré dans une
enquête en plein parlement.

Et cependant les législateurs anglais, en établissant
ces tristes refuges, n'ont été mûs que par des vues généreuses, par une sollicitude vraie pour les malheureux
qui manquent de pain et de travail. Mais l'impossibilité
de produire un bien réel, efficace, les presse de toutes
parts ; plus ils méditent le problème social du prolétariat, plus ils le trouvent insoluble ; plus ils cherchent
des remèdes et les mettent en pratique, plus ils doivent
reconnaître la stérilité de leurs efforts.

Nous remarquons deux vices principaux dans l'orga-

traînant de rudes et humiliantes conditions. Nonobstant la raison qui s'oppose à cette conséquence, la misère paraît plus qu'un malheur, elle
paraît un vice. La société ne sait pas, ne peut
pas lui pardonner ; elle considère le prolétaire
comme ennemi : et le traitant comme tel, par une
injustice manifeste, sans lui accorder de droits,
elle lui impose des devoirs, le punit rigoureuse-
ment de leur plus légère infraction, et même,
dans ses œuvres de charité, le traite presque
comme coupable.

nisation des *work-houses :* celui de ne point présenter
l'agriculture pour base du travail, et par conséquent
de ne pouvoir organiser le travail en aucune manière
par la crainte de mettre les produits de ces refuges en
concurrence avec les produits de l'industrie libre ; le
second vice est de devoir créer pour ces maisons une
administration nécessairement *arbitraire, dure, abu-*
sive et onéreuse.

Dans les pays catholiques, en France et en Belgique,
on pourrait dans la création de maisons de travail,
donner pour base aux travaux *l'agriculture,* laisser
les familles réunies, et remplacer l'administration
laïque, par la direction toute *évangélique* et toute
gratuite, de religieux pris dans les Ordres qui se
vouent à l'enseignement, au travail et à la pauvreté.
De la sorte on opérerait déjà un bien immense.

CHAPITRE III.

SUPÉRIORITÉ DU PRINCIPE RELIGIEUX POUR SECOURIR LES MISÈRES HUMAINES, ET INSPIRER LA RÉSIGNATION AUX MALHEUREUX.

La supériorité du principe religieux sur le principe philosophique est ici manifeste. Croit-on que cet état de choses pût subsister, et que l'excès du désespoir chez les masses, ne menacerait constamment de briser tous les rouages sociaux, si le catholicisme, depuis dix-huit siècles, ne se fût mis au service de toutes les douleurs et de toutes les misères, et n'eût pris pour mission spéciale de les adoucir, de les exhorter. Les apôtres, imitateurs de Jésus-Christ, et les saints qui ont marché sur leurs traces, ont fait des pauvres leurs frères, et se sont faits pauvres eux-mêmes. Ils ont vu dans les malheureux de cette terre l'image de Jésus-Christ, ils les ont secourus, ils les ont aimés. Toutes les œuvres de miséricorde, ils les ont incessamment accomplies : ils ont soigné les malades, enseigné les ignorants, abrité les pélerins, visité les prisonniers, enseveli les morts , donné à boire et à manger à ceux qui avaient faim et soif; ils se sont identifiés avec les pauvres, ils leur ont enseigné, par leur exemple, à pratiquer eux-mêmes la charité, à s'aimer, s'entr'aider les uns les autres, à trouver leurs joies dans la souffrance, leurs consolations dans les bonnes œuvres. Ils ont ouvert aux pauvres comme aux riches les communautés religieuses, où la misère disparaît en même temps que la richesse, où toutes les inégalités sont confondues, où la prière et la science appartiennent à tous, où les devoirs sont communs, où les droits sont égaux aux devoirs. Ils ont réconcilié les malheureux avec l'existence, en leur faisant accepter la souffrance comme une épreuve pour parvenir au ciel : en même temps ils ont expliqué et fait supporter les injustices sociales comme des conditions de cette épreuve. Ils ont expliqué à l'homme les mystères de sa propre nature par le péché originel, et lui ont donné une force infinie, en lui démontrant la nécessité du sacrifice pour toutes les créatures, à l'exemple de notre divin Sauveur. Ils ont ainsi dévoilé le problème des douleurs humaines , resté insoluble pour la philosophie ; ils ont donné le frein à l'esprit de révolte dans les masses souffrantes; ils ont eu les pauvres en prédilection , et n'ont cessé, suivant la parole de Jésus, de leur promettre de préférence le banquet céleste, où les riches vainement conviés n'arriveront point, tandis que la foule des malheureux seront tous, ainsi que nous le voyons dans la parabole, ramassés sur la route et au bord des haies, sans distinction, et amenés devant le Tout-Puissant pour recevoir les récompenses éternelles.

La philosophie, séparée de la religion, ne saurait expliquer le mal sur la terre ; elle ne saurait remonter à la cause première des iniquités sociales; elle ne saurait apporter de consolation aux misères des prolétaires; elle ne saurait donner un frein à l'impatience, aux murmures, à la révolte ; car le mot banal de la philosophie : *résignez-vous à la nécessité*, sous-entend : *à moins que vous ne puissiez secouer ces nécessités,* à moins que vous ne vous sentiez la force et la puissance de renverser les entraves qui vous compriment, les barrières qui vous séparent des biens que vous convoitez. La philosophie ne sait que comprimer la rébellion par la force : c'est elle qui conseille aux sociétés les gendarmes, les prisons et l'échafaud. Non point qu'elle soit amie du pouvoir, elle est amie du plus fort, et ne connaît que la fatalité, la nécessité : elle se range, en 93, du côté de la Terreur, et justifie Marat et Robespierre, ainsi qu'elle a justifié le despotisme, les actes de rigueur et les guerres sanglantes, que les nécessités politiques ont enfantés à toutes les époques. La philosophie ne connaît que le *but*, la *jouissance* ou le *succès*. Que l'homme mette son bonheur dans les voluptés sensuelles, ou bien dans la gloire et l'ambition, pourvu que la jouissance soit au bout, la philosophie conseille de poursuivre le but indistinctement ; qu'on tâche seulement de ne pas trop écraser autrui dans la lutte, et de ne point faire un mal inutile : en total, ce sont les seuls devoirs que reconnaît la *philosophie,* autrement dit, *raison pure.*

Résumons ce qui précède :

Nous avons dit que les devoirs des travailleurs sont la conséquence de leurs droits, et que dans une société *bien organisée*, ces devoirs consistent dans la soumission aux lois morales, politiques et religieuses, qui régissent cette société. Nous avons dit que, dans l'état de choses actuel, le prolétaire ne possédant pas même le droit d'*exister*, n'est tenu véritablement qu'aux devoirs que lui enseigne la religion. Toutefois la philosophie comme la religion même, veut la réalisation du code chrétien ; elle reconnaît les besoins des sociétés, la nécessité absolue de procurer le travail et la subsistance aux travailleurs. Nous avons dit qu'une société bien organisée serait précisément celle qui pourrait accorder à toutes les créatures l'éducation, le travail et la subsistance. Il nous reste à déterminer quelles seraient les bases de cette société, et comment elle pourrait s'organiser graduellement, sans secousses, sans révolutions, sans rien ôter à ceux qui possèdent, ni léser aucun droit acquis.

La première partie de cette proposition consiste à rechercher en quoi la société actuelle est mal organisée, c'est-à-dire quelles sont les causes de la misère, causes tellement radicales, tellement inhérentes à la constitution même des sociétés modernes, que tous les efforts du législateur sont vains, et n'aboutissent qu'à des adoucissements passagers, à des palliatifs stériles.

Tous les vices des sociétés actuelles se résument positivement en cette question : Quelles sont les causes de la misère, autrement dit du prolétariat ? Qu'est-ce qui fait que les trois quarts des populations n'ont pas le travail assuré, mènent l'existence la plus chétive, la plus précaire, sont assujetties aux plus rudes privations ? Qu'est-ce qui fait que la misère des masses accroît en proportion de la richesse sociale, et que le salaire va diminuant en proportion des progrès et des découvertes de l'industrie?

TROISIÈME PARTIE.

ORGANISATION SOCIALE.

CHAPITRE I.

DES FORCES PRODUCTIVES :
1° LA TERRE; 2° LE TRAVAIL ; 3° L'INTELLIGENCE HUMAINE.

Les sociétés représentent l'assemblage des forces primitives données par la nature. L'homme est lui-même un instrument de *travail* ; il est aussi le régulateur, le directeur de tous les travaux ; mais l'homme, en même temps qu'il est voué au travail, et qu'il est lui-même une force productive, l'homme est manifestement le but de la création. Toutes les autres forces lui sont asservies ; l'objet essentiel des sociétés, c'est de faire

servir toutes les forces productives de la nature,
à la moralisation de l'homme et à son bonheur.

La première des forces productives, c'est *la terre*; la seconde, c'est l'industrie, qui s'empare de tous les produits de la terre, pour les *façonner*, et les faire servir à l'usage de l'homme; elle s'en empare déjà dans le sein même de la terre, et se réunit, sous le nom d'agriculture, à la force productive du sol, pour le diriger dans sa production. L'industrie et l'agriculture se confondent de la sorte en une seule force productive, que nous traduirons par le terme générique de *travail*; dès-lors nous réduisons toutes les forces productives de la nature, toutes les richesses positives des sociétés, à *la terre* qui donne le produit brut, la matière première, et au *travail* qui façonne et transforme les produits. La troisième force productive, c'est *l'intelligence humaine* qui dirige les travaux, et s'approprie tous les biens de l'univers pour la plus grande glorification de Dieu, et pour la félicité de ses créatures. Cette troisième force est abstraite, si je puis m'exprimer ainsi : elle rentre dans le domaine moral; ses produits, ou, pour mieux dire, ses manifestations ne sont pas au nombre des richesses positives qui peuvent se calculer, se peser, se mesurer. Il en est de même de toutes les jouissances artistiques et in-

tellectuelles ; elles sont également de l'ordre abstrait, rentrent dans le domaine moral, et ont
une valeur entièrement diverse selon les esprits
auxquels elles s'adressent ; cette valeur ne devient
précise qu'autant qu'elle se traduit par le mot *argent*, signe unitaire des échanges, qui n'est lui-
même qu'une valeur de convention. (2)

Si nous nous formons abstractivement l'idée

(2) L'or et l'argent, si on les considère en eux-
mêmes, et non comme monnaie, font partie de la richesse positive ; ils sont produits du sol, et façonnés
par l'industrie. En tant que monnaie, l'or et l'argent
sont devenus signe unitaire, et moyen d'échange des
valeurs diverses ; la monnaie est le lien matériel des
sociétés, la base du commerce, un moyen de commu-
nication entre les peuples et les individus. Le papier-
monnaie, soit billets de banque, soit rentes sur l'État,
soit billets de commerce, est la plus haute expression
de la puissance de la monnaie pour faciliter les rapports matériels entre les individus et les nations. La
monnaie est une institution sociale qui a engendré les
plus grands maux en même temps que les plus grands
biens ; mais elle n'est point une force productive de
la nature, ni même une richesse positive, puisqu'elle
perd toute sa valeur dans les pays où elle n'a point
cours.

d'une société bien organisée, ce serait celle où la terre et l'industrie, ces deux forces productives de la nature, exploitées par la société dans un ordre hiérarchique, selon les diverses capacités et spécialités humaines, fourniraient largement aux nécessités de toutes les créatures, rétribueraient équitablement tous les labeurs, et donneraient un surplus de richesse sociale pour les besoins généraux des nations. Les jouissances immatérielles formeraient un délassement au travail ; la participation aux beaux-arts, les occupations de l'intelligence, les moyens de moralisation, deviendraient le partage de toutes les créatures.

Dieu l'a voulu ainsi manifestement dans le dessein général et primitif de la création. Il est certain que la terre produit suffisamment pour les besoins de l'homme ; il est certain que l'industrie augmente progressivement les produits, et les rend en quelque sorte infinis ; il est certain que même dans nos sociétés où l'essor du travail est arrêté par la misère, ce ne sont pourtant point les produits qui manquent, mais les consommateurs, c'est-à-dire, *ceux qui sont capables de les acheter* ; les produits matériels et immatériels abondent, ce sont les acheteurs et les clients qui font défaut. Il n'y a point d'industrie qui ne puisse centupler presqu'immédiatement ses produits, c'est le manque de débouchés qui arrête les producteurs; les produits du sol peuvent également s'accroître par le défrichement des terrains incultes, et par le perfectionnement graduel des cultures. Ce ne sont donc point les forces productives du sol et de l'industrie qui sont insuffisantes, ce ne sont point les hommes qui se refusent au travail, non, là n'est point la cause de la misère. C'est la troisième force productive qui fait défaut, c'est l'intelligence humaine qui ne remplit pas son rôle de régulateur du domaine terrestre, qui ne sait pas organiser le travail, et faire produire surabondamment à la terre et à l'industrie; qui ne sait pas classer les capacités, et rénumérer équitablement les travaux. C'est parce que l'intelligence humaine a manqué jusqu'aujourd'hui à sa mission régulatrice, et a laissé toute l'économie sociale se former en quelque sorte au hasard, qu'il est arrivé que la *monnaie* ou *capital,* qui n'est point une force productive, a pris la place dans les sociétés modernes des forces productives réelles; l'argent qui n'est point richesse positive, et n'a qu'une valeur de convention, est devenu la richesse la plus positive de toutes, celle que l'on considère comme la plus solide, et que l'on met au-dessus de toutes les autres ; *l'argent* ou *capital* fait loi aux trois forces productives, à *la terre* qu'il représente et s'approprie, au *travail* qu'il exploite et dont il s'assimile les produits, à *l'intelligence humaine* qu'il asservit et qu'il avilit. L'argent, en acquérant dans les sociétés modernes la faculté de se multiplier par le papier-monnaie, et de s'accroître par le placement ou prêt, en acquérant la faculté de produire par lui-même, de devenir une force productive factice, la plus puissante de toutes, tellement puissante qu'elle domine et exploite complétement les autres ; en acquérant la faculté, par cette puissance même, de se concentrer de plus en plus, de devenir le partage exclusif d'un petit nombre de possesseurs, le *capital* en devenant force productive absorbant toutes les forces sociales, en opérant le manque d'équilibre entre toutes les autres forces, est positivement la cause primordiale de la misère, et par conséquent de la plus grande partie des maux, des vices et des douleurs présentes de l'humanité.

CHAPITRE II.

La cause de la misère est donc l'absorption de
toutes les forces productives, par *le capital* et au
profit du *capital ;* c'est en même temps l'accumulation croissante des capitaux dans un nombre
de mains, chaque jour plus limité; c'est surtout
la faculté attachée au capital de s'accroître par
lui-même, par sa propre force, et d'être ainsi devenu, contre toutes les lois naturelles, la première
force productive des sociétés.

De même que par l'empiétement toujours croissant des machines sur le travail de l'homme, on
a pu se figurer le revenu nécessaire de tout un
pays, assuré par une vaste machine dont un seul
homme suffirait à tourner la manivelle, de même,
par le mouvement progressif d'agglomération des
capitaux, on pourrait se figurer comme dernier
terme de cet état de choses, la richesse sociale fi-

gurée par un papier-monnaie, devenu partage
exclusif d'un individu.

Toutefois, que l'on considère que ce ne sont
point les riches, les capitalistes, qu'il faut accuser
des maux attachés à la puissance de la richesse.
Le *capital* est un être abstrait dont le rôle social
est indépendant des individus qui le possèdent.
Beaucoup de riches pourraient se dépouiller de
leurs richesses, et les dépenser en bonnes œuvres,
qu'ils opéreraient un bien partiel, mais ne modi-
fieraient en aucune manière la faculté absorbante
du capital. C'est une puissance aveugle, qui agit
fatalement, et qui échappe à tout effort de réaction
chez les individus, comme à toute modification du
code social chez le législateur. La révolution fran-
çaise de 89, en proclamant les droits de l'homme,
en décrétant l'égalité des citoyens, n'a fait qu'accroître la puissance du *capital* en lui donnant
plus de garanties, et a laissé de fait le peuple
plus misérable qu'auparavant. Toutes les révolutions politiques qui se sont succédées depuis cette
époque, tous les efforts des législateurs, en France, en Belgique, et surtout en Angleterre où la
situation est la plus grave, n'ont servi qu'à procurer de stériles palliatifs à la misère, et à avan-
tager de fait le capital, en mettant un plus grand
nombre de malheureux à la charge publique. Car

le capital faisant la loi à l'agriculture et à l'industrie, tous les encouragements ou secours qui
sont accordés, par le gouvernement, aux travailleurs, profitent en définitive aux capitalistes qui
se trouvent d'autant plus à même de faire la loi
dure à l'ouvrier, que ce dernier est secouru et soulagé en dehors des conditions du salaire. Cette
nécessité fatale qui fait fructifier au profit du
capital tout ce que la société imagine de soulagement pour le travailleur, explique comment en Angleterre, par exemple, *la taxe des pauvres* est
devenue graduellement un fléau pour cette nation,
et n'a produit d'autre résultat que d'aggraver le
paupérisme.

Le *capital*, être abstrait, puissance aveugle, ne
connaît qu'une loi, celle de sa progression continue, et par conséquent de sa concentration. Le capital s'accroît par le placement, par le prêt, par
l'agiotage ; son travail propre, sa faculté de s'accroître, de produire, consiste à calculer le placement le plus sûr, le prêt le plus productif,
l'agiotage le plus adroit. Le capital se porte par
une impulsion irrésistible là où il voit son avantage, là où il trouve combinées les garanties les
plus solides avec l'intérêt le plus productif ; lorsqu'il paraît hésiter, c'est que tantôt il penche par
des motifs de prudence vers la solidité des garan-

ties, et tantôt, par des motifs de cupidité, vers l'énormité de l'intérêt ou la chance des bénéfices. Mais toujours il a en vue son avantage, sa progression. Le *capital* est bien matériellement l'image du sentiment cruel d'individualisme et de personnalité, qui dégénère en cupidité âpre, ou bien en une prudente et hideuse avarice. Le *capital* ne veut le mal de personne, il n'a nullement pour but la misère des masses, et les vices des privilégiés; il veut son avantage, son accroissement, et il le recherche par tous les moyens légaux, il se le procure par toutes les combinaisons les plus productives. Le *capital* ferait le bien comme le mal, peu lui importe, pourvu qu'il en profite, pourvu que le bien lui rapporte un plus fort intérêt que le mal. Ce n'est point un être moral, il ne tombe jamais en contradiction avec lui-même: c'est une force aveugle comme l'eau et le feu; il recherche son avantage, son accroissement, comme l'eau coule et comme le feu consume. Tous les efforts des moralistes, des philanthropes, et du législateur même, ne sauraient empêcher le mouvement d'absorption du capital dans les conditions actuelles des sociétés, pas plus qu'ils ne sauraient empêcher les éléments de la nature d'accomplir leurs fonctions.

Le *capital*, bien qu'il domine et exploite le travail, ne prétend cependant pas entrer d'aucune manière en concurrence, en rivalité, ni en lutte avec le travailleur; il entre en concurrence, en rivalité, en lutte avec lui-même; comme il est divisé en toutes mains, il se combat à cause de cette division; il établit la concurrence entre les diverses forces productives, il occasione ainsi dans toutes les branches de l'industrie, la lutte et le déchirement des travailleurs au profit définitif du plus fort *capitaliste*, jamais au profit de l'industriel, en tant que travailleur. (3)

Du point de vue du *capital*, emblème de l'égoïsme aveugle et brutal, le prolétaire devient inutile à mesure qu'on remplace le travail de ses bras par la force des machines. C'est ainsi que les machines qui, dans une société bien organisée, devraient manifestement alléger la peine du travailleur, tournent au contraire à son détriment; le *capital* seul en profite, en faisant les conditions du salaire d'autant plus dures au travailleur, que

(3) Ce n'est point la concurrence entre les industries diverses qui est source première des misères sociales. C'est la concurrence que le capital se fait à lui-même qui engendre véritablement la lutte et l'antagonisme des intérêts.

les machines le remplacent en partie, et que le capital a moins besoin de sa force et de son talent. Déjà, par la surabondance des travailleurs comparativement à la part de travail que leur laissent les machines, on considère les enfants qu'ils mettent au monde comme le plus grand fléau social, on en vient même à considérer le nombre trop grand des prolétaires adultes (c'est-à-dire la première des richesses dans une société bien organisée,) comme un fléau presqu'égal ; on se figure en quelque sorte que *la misère est cause de la misère* , et que le moyen le plus sûr de diminuer le paupérisme serait de diminuer le nombre des prolétaires.

Ce raisonnement est logique au point de vue du capital. A mesure qu'il remplace les bras de l'homme par la puissance des machines, il a moins besoin des travailleurs, et ne recherche plus que les *acheteurs ;* or, les prolétaires, par la raison même qu'on diminue ou qu'on supprime leur salaire, perdent en proportion la qualité d'acheteurs , et deviennent par conséquent, au point de vue du capital, des inutilités dans l'ordre social, des excroissances nuisibles , et qu'il faut nécessairement extirper.

Cette conséquence du principe d'utilité, est effroyable au point de vue de l'humanité, et par humanité j'entends la religion unie à la philosophie. Et cependant, telle est la puissance du capital, telle est sa domination sur la société, qu'il réalise peu à peu cette conséquence atroce de tarir le paupérisme en supprimant le prolétaire, autrement dit, de rendre le monde désert pour l'abandonner finalement aux bêtes féroces qui en furent les premiers possesseurs. C'est ainsi que l'Angleterre, le pays le plus tourmenté par la puissance du capital, et par la plaie du prolétariat qui en est la conséquence, en établissant comme palliatif ses *work-houses*, non-seulement est entrée dans les vues de Malthus en ôtant au prolétaire le mariage et la famille, ainsi que nous l'avons dit, mais encore elle a trouvé moyen par le régime atroce de ces maisons, de faire périr lentement le prolétaire adulte par l'excès de la douleur et de la fatigue, et par les angoisses incessantes d'une faim assouvie précisément en mesure pour que l'inanition ne soit pas la seule et visible cause de la mort.

Tout le peuple en Irlande est condamné à cette affreuse torture d'une faim qui n'est jamais entièrement assouvie.

Dans presque tous les pays industriels de l'Europe, nonobstant les efforts des philanthropes et des législateurs , le capital remplace dans les manufactures, en vue de l'économie, le travailleur adulte par le travailleur femme et enfant ; il les torture, il les corrompt, il les démoralise, il les tue ; mais que lui importe, il trouve dans cette horrible barbarie son avantage et son accroissement ; et le prolétariat est un tel abîme que le capital y puise incessamment de nouvelles victimes à torturer et à déchirer (4).

On le sait, la philanthropie et la législation ont fait tous leurs efforts pour empêcher cette hideuse exploitation de l'enfant et de la femme au détriment du travailleur adulte ; pour empêcher au milieu d'une société chrétienne, et en face des pouvoirs sociaux, la corruption, la démoralisation, et les tortures de l'enfant et de la femme ; mais leurs efforts ont été inutiles, et le mal n'a fait que s'étendre et devenir plus profond. Ce fait seul témoigne de la domination du capital sur toutes les forces sociales, de son dédain de l'opinion et de la législation ; ce fait témoigne du mouvement aveugle et fatal du capital qui tend de plus en plus à diminuer, d'une part, le salaire, d'au-

(4) Qu'on remarque bien que je parle du capital être abstrait, force aveugle, et non point de l'industriel, du manufacturier.

tre part, le nombre des travailleurs, à *économiser la main-d'œuvre*, et ainsi à toujours agrandir la plaie du paupérisme au profit de l'accumulation des capitaux.

Et ce n'est point seulement dans l'industrie, proprement dite, que le capital a puissance de réduire le salaire, et de diminuer le nombre des travailleurs, mais c'est encore dans l'agriculture. Plus est vaste le terrain où le capital étend son exploitation agricole, et plus il fait épargne de la main-d'œuvre. En Angleterre, et dans tous les pays à grandes propriétés, le salaire du journalier agricole va toujours diminuant à mesure que la terre exploitée par les procédés de la grande culture, demande moins de bras ; de sorte que le travailleur repoussé du sol, s'en va demander à l'industrie le plus modique salaire, jusqu'à ce que repoussé des villes comme des campagnes par l'encombrement des ouvriers, il s'en aille forcément recruter les *work-houses*, et en accepter les corruptions et les tortures.

Dans les environs de Rome, d'immenses campagnes où il suffit de quelques bergers pour conduire paître de nombreux troupeaux, démontrent comment le capital, en centralisant la propriété territoriale ainsi qu'il le fait aujourd'hui de l'industrie, pourrait en venir à diminuer peu-à-peu le nombre des travailleurs pour l'exploitation du sol, comme il tend à les supprimer pour l'exploitation de l'industrie.

Il est donc évident que la cause primordiale de la misère consiste tout entière dans l'absorption croissante de toutes les forces sociales par le capital. Or, la prépondérance du capital est un vice tellement inhérent à l'organisation des sociétés modernes, il fait tellement partie de leur constitution intime, que le législateur, même en reconnaissant ce vice radical, se trouve nonobstant la volonté qu'il en aurait, dans l'impossibilité de détruire cette cause première de tous les maux ; et c'est par cette raison, à cause de ce principe des sociétés radicalement vicieux, et qui échappe aux réformes du législateur, que ce dernier ne saurait ni organiser le travail, ni en répartir équitablement les produits, ni par conséquent reconnaître chez le prolétaire le droit au travail, et de la sorte effacer graduellement le paupérisme. Le législateur, lors même, ainsi qu'il est déjà arrivé dans les révolutions (en 89 en France, et en 1830 en Belgique,) lors même qu'il pourrait faire table rase des institutions anciennes et reconstituer la société à neuf, n'aurait pas la puissance d'anéantir le capital en tant que force productive factice, et dès lors tous les avantages dont il pourrait doter le travail ne seraient que des palliatifs stériles, des adoucissements passagers.

Le législateur ne peut que donner une sage constitution, et faire des lois équitables qui préparent et facilitent une transformation sociale où la puissance du capital soit détruite, et où les droits du travailleur soient reconnus ; en cela la France et la Belgique sont les pays les plus avancés et les plus aptes à cette transformation : car ce sont les pays où l'égalité des droits existe le plus en principe, où la liberté morale dérivant des libertés publiques, existe le plus en fait ; mais le législateur est impropre à opérer lui-même cette transformation sociale.

CHAPITRE III.

RESPECT DU A LA PROPRIÉTÉ.

Le législateur (ou gouvernement), est un être de raison, un être abstrait ; il y a des principes auxquels il est nécessairement soumis ; il n'est pas en son pouvoir de faire naître la justice de l'injustice ; si dans une constitution nouvelle, il proclame un principe injuste, ou bien ce principe ne sera point réalisé, ou bien il enfantera des conséquences désastreuses, et ces conséquences réagiront contre l'intention du législateur.

Le vice radical des sociétés, la prépondérance du capital, qui produit, entretient, et accroît le paupérisme, tient intimement au droit de propriété tel qu'il s'est établi par la force des choses dans les sociétés modernes ; or, ce *droit de propriété*, absolument incompatible dans ses conditions actuelles avec le *droit au travail*, est précisément un de ces principes qu'il est impossible que le législateur entreprenne de modifier radicalement sans risquer de bouleverser la société de fond en comble, et d'amener des conséquences désastreuses, qui enfanteraient invinciblement une réaction en faveur du principe de propriété.

La propriété est un droit acquis ; peu importe sa source première qui se perd dans la nuit des temps, et qui d'ailleurs, nous l'avons dit, dérive du droit de conquête.

Non-seulement la propriété est un droit acquis, mais la propriété, en la considérant comme principe, est de droit divin et naturel ; car si le vol est considéré comme crime dans les commandements de Dieu, et dans les codes moraux et sociaux, c'est que la propriété est considérée comme inhérente à la nature de l'homme, et comme droit par la religion et par la philosophie. Le législateur a droit de modifier les lois sur la propriété, d'en corriger les abus, d'en réglementer l'usage ; le législateur a droit d'abolir l'esclavage ; il a eu droit en 89 d'abolir la féodalité, car le droit de liberté humaine passe avant le droit de propriété ; mais ce que le législateur ne peut pas, c'est de dépouiller les citoyens ; il ne peut pas annuler le droit de propriété en lui-même, commettre une injustice, se rendre coupable d'un crime, même au profit de la société. L'Assemblée législative en 89, tout en détruisant avec justice les abus du régime féodal, en abolissant la dîme et toutes les marques du servage, n'avait pas le droit de s'emparer des biens du clergé ; plus tard elle n'avait pas le droit de confisquer les biens des émigrés. La société peut réglementer l'usage de la propriété, mais jamais s'emparer de la propriété même : là s'arrête son droit. Elle peut exproprier pour cause d'utilité publique ; elle peut exiger qu'un champ soit défriché, qu'une maison soit restaurée ou habitée, mais non point s'emparer de la maison ni du champ. La société instituée primitivement pour garantir les droits des faibles contre le droit du plus fort, pour porter obstacle à l'action violente du bandit, ne peut pas devenir elle-même bandit, et dépouiller le faible par la violence.

Les communistes et ceux parmi les républicains qui veulent une révolution sociale en faveur des masses, et ne conçoivent une société bien organisée qu'avec le droit au travail, sont conséquents et logiques en prétendant abolir le droit de propriété, puisque dans les sociétés actuelles il est incompatible avec le droit au travail. Toutefois, en posant hardiment le principe que la terre et les instruments de travail sont à tous, ils ne déterminent point quel serait le nouvel ordre de choses,

et quelles personnes seraient désormais les déten-
teurs de la richesse sociale, pour la répartir uni-
formément selon le droit naturel, ou inégalement
selon les capacités ; ou bien s'ils tentent de donner une solution à ces divers problèmes, ils ne
font que mettre à jour l'impossibilité de plans dont
la base première serait l'abolition de tous les droits
existants.

En procédant ainsi par la destruction immédiate
du droit de propriété, il n'y pas de milieu dans
les théories d'une nouvelle organisation de la propriété (car il faut toujours en définitive la constituer de quelque manière); ou bien, comme le veulent les communistes, on ressusciterait la loi
agraire, et l'on ferait autant de lots de propriété
que d'individus et de familles ; ou bien, comme
le voulaient les St-Simoniens, toute la richesse sociale serait aux mains de quelques-uns représentant *le pouvoir*, qui la distribueraient perpétuellement selon les capacités et les mérites de chacun. Ces deux utopies sont irréalisables, et répu-
gnent également au bon sens. La loi agraire, qui
dans l'antiquité même ne fut jamais qu'une conséquence passagère de la guerre et de la conquête,
si elle pouvait se réaliser, ramènerait prompte-
ment l'inégalité des fortunes, et, en laissant au capital toute sa puissance, conserverait en germe

tous les vices et tous les abus. La possession, au contraire, de toute la richesse sociale aux mains de quelques-uns, et sa répartition perpétuelle selon les capacités, ainsi que le voulaient les St-Simoniens, est une chose tellement inexécutable, et qui ouvre un tel champ à l'arbitraire, à l'anarchie, et à la cupidité, que ce système a dû crouler rapidement dans sa base, bien que les vérités neuves et fécondes qu'il renfermait, ont survécu à la théorie même, et resteront toujours présentes à ceux qui continuent à espérer dans l'avenir de l'humanité.

CHAPITRE IV.

COMMENT ON POURRAIT ASSURER GRADUELLEMENT LE DROIT AU TRAVAIL AUX PROLÉTAIRES.

Avant de rechercher les moyens d'assurer le travail aux prolétaires, et par conséquent, d'assurer à toutes les créatures les moyens de subsistance, il est nécessaire d'examiner si la terre produit suffisamment pour les besoins de tous. •

On a fait le calcul et beaucoup d'économistes l'ont répété, que si l'on partageait exactement entre chaque individu la richesse générale, en France, par exemple, la part de chacun s'élèverait environ à 30 *centimes* par jour, c'est-à-dire, moins que le nécessaire, d'où l'on a conclu que la richesse sociale ne suffit pas à la subsistance du peuple, et que la misère est une plaie incurable, une loi inhérente à l'humanité.

C'est ce calcul fautif, et qui conduit à blasphémer Dieu, que nous voulons réfuter. Les économistes ont été induits en erreur par le préjugé qui fait considérer l'argent comme la richesse même ; ils ont basé leurs chiffres sur le revenu monnayé de la France, c'est-à-dire, sur une base arbitraire, changeante, n'ayant point nécessairement de rapport exact avec la richesse réelle d'une nation.

L'argent, en tant que monnaie, ne donne point la valeur exacte de la richesse immobilière qu'il représente, puisque sa propre valeur est arbitraire, qu'elle varie de pays à pays, et que même chaque jour elle suit un cours de hausse et de baisse, sur tous les produits. L'argent ne représente pas même

le mouvement de circulation, le taux approximatif
dés échanges opérés dans le cours de l'année.

La quantité de monnaie est sans doute en rapport dans chaque pays avec les besoins d'échanges, avec le mouvement de circulation ; car l'argent va et vient, de pays à pays, de ville à ville,
de marché à marché, selon les besoins qui l'y appellent ; mais dans le mouvement perpétuel d'é-
changes, qui s'opère entre les individus et les nations, le crédit et le papier-monnaie jouent un si
grand rôle, et, en même temps un rôle tellement
variable, ils ajoutent à l'argent monnayé une valeur représentative tellement mobile, qu'il est absolument impossible de la calculer, de l'évaluer
d'aucune sorte, de la placer en ligne de compte
avec la richesse positive d'une nation.

Bien que le papier-monnaie, en tant qu'il pré-
sénte de garanties, joue le même rôle que l'argent
monnayé, puisqu'il est signe représentatif de la
richesse, et moyen d'échange, toutefois c'est une
valeur entièrement fictive. Que demain le gouvernement décrète un emprunt de cent millions, et que
cet emprunt se réalise, il y aura cent millions de
plus dans la circulation : est-il juste de dire que la
richesse sociale sera accrue de cent millions? Non,
l'État aura fait face à des dépenses imprévues,
aura comblé tel déficit, aura facilité la création de

telle branche d'industrie qui pourra accroître plus
tard la richesse sociale ; mais, pour le moment,
l'État, loin de s'enrichir, s'est obéré. Qu'on y fasse
attention, l'accroissement des emprunts chez un
gouvernement, constitue la dette publique, c'est-
à-dire, le fardeau le plus pesant des sociétés modernes ; et si nous approfondissions tout le système de crédit chez les particuliers, comme chez les
gouvernements, nous trouverons en total que le
papier-monnaie sous toutes les formes, loin de
constituer un accroissement de richesses, constitue
un accroissement de dettes, représente le *déficit* au
lieu de représenter le *bénéfice*, et sans compter la
menace permanente et quotidiennement réalisée
des faillites, contribue à induire complétement en
erreur les économistes qui cher   nt à évaluer les
richesses des nations ou tout au m ins leurs revenus, sur le mouvement des échanges, sur l'argent
et le papier-monnaie mis en circulation.

En résumé, le numéraire est une valeur arbitraire, changeante, fictive, qui ne saurait en aucune manière servir de mesure pour évaluer soit
la richesse totale, soit le revenu des nations.
On ne saurait donc d'après cette prétendue éva-
luation, prétendre établir fictivement le partage
d'une somme tellement minime entre toutes les
créatures qui composent une nation, qu'on devrait

en tirer la conséquence que la misère est inhérente aux sociétés, et qu'il n'est pas au pouvoir de l'homme de la détruire.

Si donc on veut véritablement évaluer la richesse des nations pour en déterminer le rapport avec le nombre des individus qui la composent, il faut nécessairement prendre pour base, la terre et l'industrie, proprement dites, sources de toutes les richesses matérielles. Pour ce qui est des richesses immatérielles, telles que les produits littéraires, scientifiques, artistiques, bien que ce soient des richesses très réelles et des plus précieuses, elles ne sont pas plus susceptibles d'être calculées et évaluées, que d'autres richesses également réelles, mais encore plus abstraites, telles que la beauté, la vertu, les nobles actions.

Or, la statistique, dans l'ordre actuel des sociétés, peut évaluer de la manière la plus précise la quantité de terres mises en rapport, et le nombre de bras appliqués à l'agriculture et aux diverses industries; mais elle ne peut évaluer même approximativement la quantité et la diversité des produits donnés soit par la terre, soit par l'industrie proprement dite; elle ne peut les évaluer, parce qu'aucun pays ne possède les moyens de constater annuellement sur toute l'étendue d'un territoire, les changements dans les cultures et les récoltes, les changements dans les professions diverses, le nombre d'établissements dans chaque branche d'industrie, l'augmentation des produits par les métiers, la diminution par les faillites, enfin, les variations permanentes de l'agriculture et du commerce. Les produits totaux de l'agriculture et de l'industrie, qui pourraient seuls servir de base à un rapport exact entre la richesse d'une nation et les besoins de tous les membres qui la composent, échappent donc à-peu-près aux investigations de la statistique. Mais ce qui lui échappe bien davantage, et ce dont les économistes ne se sont pas occupés jusqu'à ce jour, c'est de déterminer ce que la terre et l'industrie pourraient produire dans une organisation où tout homme serait travailleur, où tout travailleur serait positivement consommateur, et où par conséquent la société entière aurait pour but de faire produire à la terre et à l'industrie la plus grande richesse possible.

Ce problème n'a pu être même posé mais on peut certifier par les plus simples inductions du bon sens et de la logique, que, dès aujourd'hui, dans l'état actuel de l'agriculture et de l'industrie, les produits suffiraient à assurer l'existence de tous les membres de la société, s'ils leur étaient répartis équitablement. On peut certifier à plus forte raison que si tous les membres de la société

devenaient travailleurs actifs, les produits multi-
plieraient en proportion de cet accroissement de
forces, et que la richesse sociale dépasserait infiniment les besoins de la consommation.

Dans l'ordre actuel, il est impossible que la richesse sociale dépasse jamais les besoins de la
consommation, car le premier besoin créé par la
puissance de concentration du capital, c'est le
besoin de la richesse. En face de millionnaires,
chacun voudrait en quelque sorte devenir tel. L'é-
galité de droits dans notre société, semblerait devoir consister dans la faculté pour chacun d'acquérir autant de richesses que le plus riche. Or,
si l'on conçoit parfaitement un état de choses où
chacun vivrait dans l'abondance des produits de
la terre et de l'industrie, il est impossible de se
figurer une société où chacun serait millionnaire.
La nature de la richesse positive est telle, que si
l'on n'en possède les produits qu'à la condition d'en
jouir, on doit nécessairement se limiter dans la
possession ainsi que dans la jouissance ; tandis
que la nature du capital est telle, qu'il n'y a absolument aucune limite dans sa jouissance ni dans
sa possession ; et que des richesses énormes en-
fouies dans un coffre-fort, ou transformées en un
papier-monnaie, peuvent servir à la jouissance
contemplative et imaginative d'un seul individu.

Le problême social consiste à limiter chaque individu dans la possession et la jouissance des biens réels, ou autrement dit à associer les forces véritablement productives, *la terre, le travail, et l'intelligence humaine*, en annulant la puissance du capital en tant que force productive.

L'association des forces productives de la nature, indépendamment des forces factices, peut seule produire pour les sociétés le droit réel, positif, indestructible au travail. L'association des forces naturelles doit produire ce droit spontanément, sans qu'il soit même nécessaire au législateur de l'établir. Nous allons chercher à le démontrer.

CHAPITRE V.

LA TERRE NOURRIT L'HOMME A LA CONDITION DE SON TRAVAIL.

Nous avons protesté et nous protestons encore contre les doctrines des communistes, car nous n'apercevons dans leur réalisation immédiate que désordre, anarchie, despotisme; mais il n'en est pas moins vrai que les communistes comme les Saint-Simoniens, et comme tous les esprits logiques, remontent au principe vrai des choses en avançant que la terre a été donnée primitivement à toutes les créatures, et qu'elle est un don inaliénable comme celui de la liberté humaine. Le prolétariat est une injustice aussi criante que l'esclavage; selon les lois naturelles et divines, l'homme ne peut pas davantage être totalement dépossédé, qu'il ne peut être privé de sa liberté. Au fond, tous les esprits qui réfléchissent sont d'accord sur ce principe: car vouloir effacer le

paupérisme, vouloir accorder aux masses *le droit
au travail* , c'est vouloir que chacun possède. Or,
la terre est base de toute propriété; tout produit
matériel, toute richesse positive viennent de la
terre; sous quelque forme que vous assuriez une
propriété au prolétaire, vous lui rendez le droit
primitif à posséder le sol.

*La terre nourrit l'homme à la condition de son
travail.* C'est là un principe irréfragable; il a
servi de tout temps de base, soit à l'esclavage,
soit au servage, soit au fermage, soit aux divers
systèmes de colonisation intérieure ou extérieure.
Selon les conditions plus ou moins rudes attachées
à ces divers états, l'homme a été plus ou moins
misérable; toutefois il a suffi qu'il fût attaché à
la terre, pour qu'il eût quelque part à ses produits, pour qu'il ne fût pas aussi complétement
dénué que l'ouvrier attaché à l'industrie. Le prolétaire industriel, en Angleterre, est souvent réduit à envier le sort du paysan Irlandais qui du
moins a sa cabane et sa ration de pommes de
terre, tandis que le prolétaire des villes, en temps
de chômage, n'a littéralement ni pain, ni asile, ni
vêtements.

Le capital est de fait possesseur de la terre; ou
bien les riches en sont propriétaires par droit
d'hérédité comme en Russie, en Pologne, en

Angleterre ; ou bien, là où la terre est mobile, ils en sont propriétaires par l'argent ; dans ce dernier cas, ils font la loi au fermier et au paysan, comme dans le premier cas, ils font la loi aux serfs et aux journaliers.

Plus le droit de propriété territoriale se concentre par la puissance du capital, et plus il fait la loi dure au travailleur. Après la condition de l'esclave, il n'y a rien de si affreux que la condition des serfs en Pologne et en Russie, dont la situation, d'ailleurs, diffère peu de celle de l'esclave ; la totalité presqu'entière des produits appartient au maître, et tandis que ses greniers regorgent de denrées qui souvent pourrissent faute d'acheteurs, les travailleurs ou serfs sont dans un dénuement affreux de toutes les choses nécessaires à la vie. En Angleterre où le servage est aboli, le salaire du journalier dans les campagnes, équivaut à cette chétive et grossière nourriture.

En Irlande, par des circonstances particulières à ce malheureux pays, le travail du cultivateur enrichit trois sortes de propriétaires qui sont superposés les uns aux autres pour sucer le produit du travailleur, et ne lui laisser que la plus maigre subsistance ; et encore, tous les efforts du propriétaire dans ce triste pays, tendent à dépouiller totalement le travailleur, à le chasser de son humble cabane, à lui retirer sa chétive pâture, afin de transformer le terrain morcelé en grandes propriétés où le travail de l'homme serait infiniment réduit avec avantage pour le propriétaire, ce qui équivaudrait, si les propriétaires réussissaient dans leur dessein, à un arrêt de mort pour quelques millions de cultivateurs.

En France et en Belgique où la propriété féodale et le servage ont été entièrement abolis, grâce à la législation de 89, le morcellement de la propriété et les conditions raisonnables du fermage, rendent la position du petit cultivateur infiniment moins désastreuse que dans les pays que nous avons cités ; toutefois, le morcellement même poussé à l'excès, y est cause de très grande misère dans les campagnes. On souhaiterait, comme utopie, de réunir les avantages de la grande culture à l'émancipation morale, qu'assure le morcellement au petit cultivateur.

Il suit de ces observations que le paupérisme proprement dit, c'est-à-dire le dénuement complet, n'existe point pour les travailleurs attachés à la terre, puisque si misérables qu'ils soient, ils ont toujours quelque part au produit, tandis que l'ouvrier des fabriques, en temps de chômage, reste absolument dénué, et risque de mourir de faim ;

il est évident aussi que si dans toutes les grandes propriétés, telles qu'elles sont administrées en Russie, en Pologne, en Angleterre, en Irlande, les produits au lieu de faire à peu-près en totalité la part du maître ou seigneur, étaient répartis équitablement entre les travailleurs, l'aisance succéderait pour tous à l'affreuse misère à laquelle ils sont réduits.

Comment donc assurer graduellement la possession de la terre aux travailleurs, ou, pour mieux dire, leur en assurer les produits en juste proportion de leur travail ?

CHAPITRE VI.

COMMENT ASSURER AUX TRAVAILLEURS LES PRODUITS DE LA TERRE ET DE L'INDUSTRIE EN JUSTE PROPORTION DE LEUR TRAVAIL ?

Il semblerait que cette question dût trouver une solution en quelque sorte aisée, dans des pays comme la France et la Belgique, où la majeure partie du sol est libre et mobile, et se transmet

par des conditions raisonnables de propriété ou
de fermage. Tout fermier qui possède quelque capital pour en faire avance, vit avec sa famille du
produit du sol, et paie sans trop de difficultés la
rente au propriétaire.

Toutefois cette rente ne s'acquitte qu'à la condition précise de faire avance d'un capital, c'est-
à-dire d'un mobilier agricole et d'un bétail, ce
qui se nomme cheptel dans le langage de l'agriculture.

Le capital est donc toujours la première condition de la possession de la terre, même à titre de
fermage. Le prolétaire qui ne possède aucun capital ne peut donc aspirer à sa possession, même
à titre de métayer ou de fermier.

Dans les tentatives de colonisation extérieure,
les gouvernements ou les compagnies font ordinairement des avances de capitaux aux colons
prolétaires ; mûs par des motifs politiques, ils
donnent ou afferment les terres soit désertes, soit
conquises, et ne reculent point devant les sacrifices. Mais en résultat, toute colonisation, se cal-
quant dans ses bases constitutives sur la mère-
patrie, engendre finalement la prépondérance du
capital, la misère des masses, et le paupérisme.
De sorte que, lors même, les gouvernements s'é-
puiseraient par des avances réitérées vis-à-vis les

7*

prolétaires, pour qu'ils pussent acquérir et exploiter des terres incultes, même lorsque ces essais de colonisation réussiraient, ce qui est toujours chanceux, en définitive, le paupérisme renaîtrait de la même cause ; c'est-à-dire, la concentration et la domination du capital.

Les colonisations intérieures généralement réussissent encore moins que les colonisations extérieures. Les colons restent misérables, continuent d'être onéreux aux fondateurs, et, en total, n'ont jamais eu par leur réunion, et leur droit fictif au travail, d'influence décisive et radicale sur l'organisation générale des sociétés.

Si tous les essais de colonisation, c'est-à-dire de réunion de travailleurs sur un sol qui leur est accordé soit à titre de propriété, soit à titre de fermage, ont été infructueux jusqu'aujourd'hui en ce qui concerne la question de l'abolition du paupérisme, c'est qu'ils n'ont pas eu pour base l'association. L'association est véritablement le remède à tous les maux qui rongent le corps social. Le mot en est dans les bouches, la pensée en est dans les cœurs ; les esprits les plus avancés comme les esprits les plus simples l'acceptent comme solution aux difficultés sociales. L'association remplaçant l'antagonisme, doit produire autant de biens que ce dernier produit de maux. Mais quelles sont les bases précises de l'association, comment la réaliser, à qui appartient-il d'en prendre l'initiative ?

CHAPITRE VII.

DU PRINCIPE D'ASSOCIATION.

L'association est la marche ascendante de l'humanité. Les efforts des individus et des nations ont toujours convergé vers le but d'association. Le principe d'unité inhérent à la création, et qui est dans l'homme ainsi que dans la nature, ne peut se réaliser que par l'association. Tous les grands génies ont rêvé l'unité, et par conséquent l'association sous quelque face. Tous les progrès des sociétés ont été des essais d'association. Toutes les institutions bienfaisantes sont des associations partielles. Le christianisme a fécondé les principes d'association gravés éternellement au cœur de l'homme, et a semé dans le monde entier les germes de l'unité politique, morale et religieuse.

Les Socialistes, St-Simoniens, Owénistes, Fouriéristes, basent leurs systèmes sur l'association,
et on ne peut leur refuser d'en avoir popularisé
l'idée, d'en avoir énuméré et fait comprendre les
féconds résultats. Toutefois, lors même qu'ils
ont possédé des moyens de réalisation , leurs essais ont échoué, et leurs doctrines, après avoir exci-
té passagèrement l'enthousiasme, n'ont plus guère
trouvé que des esprits indifférents ou incrédules.

La raison en est que ces doctrines pèchent par
la base ; elles veulent atteindre un but généreux,
et elles partent d'un principe égoïste. Les doctrines socialistes écloses au dix-neuvième siècle,
sont comme la plus haute expression de l'esprit
de critique qui date du protestantisme, et qui a
accompli son œuvre en partie au dix-huitième siècle. Les doctrines socialistes, en réagissant contre
les iniquités sociales et contre les souffrances qui
accablent le genre humain, ont adopté le principe
contraire au principe chrétien ; au lieu du principe d'abnégation et de sacrifice, elles sont parties
du principe de la jouissance et de la satisfaction
personnelle. Elles égalent la matière à l'esprit, si
même elles ne la font prédominer ; elles se placent
entre le ciel et l'homme, pour ne laisser à ce dernier que cette terre pour horizon ; elles justifient
tous les penchants, excitent tous les désirs, déve-

loppent toutes les passions, et au milieu de cette âpreté universelle à la jouissance, au milieu de tous ces penchants vicieux, de tous ces désirs ardents, de toutes ces passions déchaînées, elles donnent pour tout frein à l'homme la raison pure comme Owen, le despotisme régulateur d'une nouvelle théocratie comme les Saint-Simoniens, la puissance du régime sériaire comme les Phalanstériens. C'est donc à cause de ces passions déchaînées, de ces convoitises excitées, et qui n'ont ni satisfaction possible, ni frein réel, que ces doctrines, ne fût-ce que par leur principe vicieux, n'ont pas puissance de se réaliser.

Lorsque Jésus-Christ fut envoyé de Dieu sur cette terre, pour racheter le genre humain par le sacrifice de la croix, et apporter au monde les bases d'une nouvelle société, il se contenta d'une parole féconde : *Aimez-vous les uns les autres.* Il ne prêcha point l'association, il ne l'élabora pas en système, mais il dit à ses disciples: *Suivez-moi*, et lorsqu'ils étaient nombreux, las, et exténués de besoin, il fit multiplier les pains dans le désert, miracle qui reste l'emblème éternel de la supériorité de la parole de vie qui nourrit l'âme, sur le pain matériel qui nourrit le corps, et de la puissance de l'association pour multiplier indéfiniment les ressources de l'existence.

Depuis dix-huit siècles, le monde a changé de face; les sociétés ont progressé dans les arts, dans les sciences et dans l'industrie, et se sont enrichies de magnifiques découvertes ; généralement elles reconnaissent les droits de l'humanité; aux guerres acharnées et aux conquêtes sanglantes, a succédé le besoin de paix et de conquêtes pacifiques. Ces résultats de la civilisation chrétienne doivent donner espoir que l'humanité sera finalement rachetée des grands maux qui pèsent encore sur elle. Nous croyons, comme les socialistes eux-mêmes, que les sociétés peuvent être transformées radicalement, et que c'est l'association qui doit opérer ce miracle ; mais l'association ne saurait prendre sa base que dans le christianisme, elle ne saurait exister qu'à la condition de rechercher toujours la pratique plus parfaite des maximes éternelles de l'Évangile.

Or, tout l'Évangile, tout le christianisme, se résument dans ces deux maximes : *Renoncez aux richesses; aimez votre prochain comme vousmême.*

Ces maximes entraînent invinciblement l'abnégation et le sacrifice. Le sacrifice porte à la renonciation des richesses ; l'abnégation porte à aimer mieux son prochain que soi-même : ce qui est la seule manière de l'aimer autant que soi-même.

Toutéfois , la renonciation aux richesses n'entraîne point le mépris des richesses ; l'abnégation et le sacrifice n'entraînent point nécessairement la souffrance et la douleur. Si la création est si belle et si féconde, si Dieu a prodigué tant de biens aux hommes, si toutes les créatures poursuivent instinctivement le bonheur, c'est que la poursuite du bonheur est en quelque sorte un devoir, c'est que la jouissance de ces biens est en quelque sorte un droit. Ce que Dieu veut manifestement , c'est que la jouissance de ces biens ne soit pas exclusive, c'est que nous sachions y renoncer dans le but d'en doter autrui, de les partager avec autrui.

Le principe qui ressort essentiellement du christianisme, c'est le principe de *charité*, c'est-à-dire, la plus tendre, la plus vive compassion pour toutes les infortunes, et la volonté la plus ferme et la plus enthousiaste de les secourir. Il est donc évident que si le plus grand mérite aux yeux de Dieu est d'adoucir et guérir les souffrances humaines, ce ne sont point ces souffrances qui en elles-mêmes sont un mérite. Si le sacrifice et l'abnégation sont les premières des vertus , c'est qu'elles ont pour but le bien d'autrui, c'est qu'elles sont la plus haute expression de l'amour évangélique.

CHAPITRE VIII.

CRITIQUE DU SYSTÈME D'ASSOCIATION AGRICOLE, INDUSTRIELLE ET DOMESTIQUE, DE CHARLES FOURIER.

Avant de jeter les bases de l'association, et de chercher les moyens de la réaliser, il est nécessaire de rappeler ici particulièrement le système de Charles Fourier, et d'examiner en quoi nous nous rapprochons et en quoi nous différons essentiellement de l'inventeur de l'association agricole, industrielle et domestique.

Le système de Fourier, œuvre marquée au sceau du génie, nonobstant les erreurs qui le tachent, est digne de la sérieuse attention de tous ceux qui prennent à cœur les misères humaines, et qui veulent sincèrement l'abolition du paupérisme. Fourier, en donnant pour base à l'organisation du travail, *la terre,* en proposant l'association des familles, en réunissant les travaux industriels, domestiques et artistiques à l'agriculture, base pivotale, en découvrant les lois de l'éducation unitaire qui engendre nécessairement l'organisation sériaire du travail, Fourier s'est montré l'inventeur de la véritable science de l'économie sociale, et a mérité d'être classé au rang des plus beaux génies et des bienfaiteurs de l'humanité.

Si nous cherchons en quoi est fautif ce système qui, au premier aperçu, ravit l'esprit et l'éblouit complètement, nous trouverons d'abord qu'il pèche par l'absence du lien moral, par le défaut du principe religieux. C'est pour n'avoir point basé ses doctrines d'association sur le christianisme, que Fourier n'a point respecté la loi du mariage, qu'il a dissout de fait la famille, et qu'il est tombé dans les plus tristes et les plus monstrueuses aberrations au sujet des mœurs.

C'est pour s'être écarté des vérités éternelles du christianisme, qu'il a substitué d'une manière absolue le principe *d'attraction* au principe du *devoir;* méconnaissant de la sorte que si *l'attraction* est pour l'homme ce que *l'instinct* est pour l'animal, c'est-à-dire qu'elle le conduit à la conservation de son être et à la recherche du plaisir, le *devoir* est précisément ce qui distingue l'homme de la brute, et lui fait préférer soit la perfection morale de son être, soit le bien d'autrui, aux appétits corporels, et à sa propre jouissance. L'attraction non balancée par le sentiment du devoir, engendre l'égoïsme et le sensualisme ; le devoir engendre l'abnégation et le sacrifice, le devoir devient la plus puissante attraction, en faisant remplir à l'homme sa véritable destinée , et le reliant à la chaîne des êtres invisibles qui aboutissent à Dieu (5).

(5) Fourier pose le principe d'*attraction morale* d'après le principe d'*attraction physique* qui régit le système planétaire. Tous ses disciples ont répété d'après lui que la loi d'attraction doit régner dans l'ordre moral, puisqu'elle règne dans l'ordre matériel. Fourier et ses disciples s'attachant de la sorte à la loi d'analogie, ont raison en principe; mais il est curieux d'examiner à quel point ils se sont trompés dans les conséquences; il est du plus grand intérêt de reconnaître la loi du devoir et du sacrifice dans le principe même d'attraction qu'ils ont prétendu poser.

Quelle est la loi précise d'*attraction* ou pour mieux dire de *gravitation*, découverte par Newton? Cette loi est celle qui, depuis le commencement des choses, imprime *deux mouvements contraires* aux astres, les forçant de s'attirer réciproquement en raison directe de leurs masses, et en raison inverse du carré des distances. Ce n'est donc point l'*attraction pure*, un *mouvement simple* qui régit les astres, ce sont deux mouvements perpétuellement contraires qui les dominent, et qui représentent effectivement par un effet admirable d'analogie, le combat, la lutte perpé—

Enfin, c'est pour s'être écarté des principes du christianisme que Fourier a cru pouvoir donner l'essor à toutes les passions, et en même temps en arrêter les excès pernicieux en les équilibrant, en

tuelle, qui existe moralement dans l'homme partagé entre la passion *qui attire*, et le devoir *qui retient*. Si les planètes n'étaient mues que par l'attraction, toutes se précipiteraient vers le soleil, se briseraient dans un choc formidable, et l'univers retomberait dans le chaos. Dieu a posé une limite absolue au mouvement purement attractif des planètes, en y joignant un mouvement en sens inverse auquel elles doivent nécessairement obéir, nécessité éternelle qui maintient l'harmonie de la nature. L'homme partagé ainsi entre deux forces contraires, être raisonnable, par conséquent libre et moral, tantôt se laisse entraîner par les passions, tantôt obéit au devoir : de cette liberté même naissent le désordre et l'anarchie sociales chaque fois que les passions l'emportent sur les devoirs. La loi de *gravitation* ou *d'attraction* ne fait donc que confirmer le principe chrétien, en nous représentant les deux forces contraires qui se combattent dans la nature humaine, l'amour de soi-même et l'amour du prochain, — l'égoïsme et le dévouement, — la passion et le devoir. C'est à l'homme, créature libre, à faire succéder sur cette terre l'ordre au désordre, et à y faire régner l'harmonie, non pas en s'abandonnant sans frein à ses passions, mais en sachant perpétuellement se contenir dans les limites de l'ordre général, à l'imitation des astres lancés dans l'espace.

les absorbant les unes par les autres, en les con-
tenant dans de justes limites par l'engrenage, les
rivalités, la variété dans les travaux et les plaisirs ; établissant tous ces calculs absolument
comme un physicien ou un chimiste établirait
dans leurs expériences des calculs de fusion et de
contre-poids, d'après la connaissance exacte de la
mesure, de la force, et des effets naturels des éléments qu'ils dirigent ou qu'ils mélangent.

Généralement dans toute l'organisation de la
phalange inventée par Fourier, il semblerait que
les hommes avec leurs passions et leurs facultés,
ne fussent aux yeux de Fourier que des machines dont il dispose, et qu'il fait agir à son gré. Sa
phalange ressemble assez à un vaste échiquier
dont il distribuerait les pièces ou créatures humaines de telle manière, que le mouvement une
fois donné , elles joueraient perpétuellement la
même partie, et arriveraient toujours aux mêmes
résultats.

Il y a certainement un côté très vrai à la loi
sériaire (6) que Fourier donne pour régulateur à

(6) Si nous essayons de définir la loi sériaire, nous
dirons : l'unité, c'est Dieu. Il est partout, indivisible,
il est *un*, et embrasse l'infini, l'éternité. Le *nombre*,
c'est le créé; la *série*, c'est l'ordre, c'est la *mesure*

l'organisation du travail et à la pondération des
facultés et des passions humaines dans sa phalange. Il est positif que les conditions de propreté,
de salubrité, de variété dans les travaux, et de

dans le *nombre*, d'où naît l'harmonie. Hors la série, il
n'y a qu'uniformité désespérante, ou bien confusion
désordonnée, et l'une et l'autre sont également contre
les lois de la nature.

La série existe dans toutes les œuvres de la nature,
dont les produits sans exception se nuancent, se gra-
duent, se groupent, s'enchaînent, et s'entrecroisent
dans une hiérarchie ordonnée.

La série appliquée au travail et conséquemment à
l'éducation et à tout l'ordre social, serait le classement
précis des capacités morales et intellectuelles, enfantant une juste hiérarchie, et rendant de la sorte aisés
et naturels la soumission aux chefs et le respect à toutes les *autorités*, dont le mot deviendrait synonime
des mots *capacité* et *moralité*.

Pour rendre plus précise l'idée de la loi sériaire appliquée au travail, voici un passage extrait du livre
intitulé : *Réalisation d'une commune sociétaire.*

« Dans la commune sociétaire, tous les travaux sont
« divisés par séries, qui, elles-mêmes, se divisent et se
« subdivisent en groupes et sous-groupes. Les séances
« pour chaque groupe sont de deux heures ; les tra-
« vaux ne discontinuent pas pour cela, mais les divers
« groupes de travailleurs attachés à chaque branche
« des travaux, ont la faculté de se relayer de deux en
« deux heures. Chaque individu s'adonne ainsi à une

libre vocation, rendraient le travail attrayant ; il
est aussi réel que les passions s'absorbent les unes
les autres, et s'équilibrent dans de certaines conditions données ; mais il faut encore d'autres freins
à l'homme, il faut encore d'autres principes à
l'association. Les principes qu'il lui faut, ce sont
ceux de dévouement, de charité, d'amour du prochain, de sacrifice, d'abnégation, sans lesquels
toute association, tout lien moral, toute fusion véritable d'intérêts, toute constitution équitable, sont
absolument impossibles. Ce n'est pas la loi' sé—

« quantité de travaux divers, et fait partie de tous
« les groupes et séries attachés à ces travaux. La di-
« vision parcellaire du travail facilite les apprentissa-
« ges et la pratique dans les diverses branches agrico-
« les, industrielles et domestiques.

« Par cette division des travaux en groupes et sé-
« ries, on évite l'uniformité et la confusion. Il n'y a
« plus pour le travailleur le triste isolement, ni l'in-
« supportable monotonie, puisqu'il travaille en groupes
« et varie son travail, s'il le veut, toutes les deux
« heures. Enfin, il n'est plus forcé, comme dans l'état
« actuel, à embrasser le métier ou la profession qui le
« plus souvent lui répugne. Il consulte sa vocation, il
« obéit à ses penchants ; c'est en suivant l'impulsion
« de la nature, qu'il s'adonne à vingt ou trente travaux
« différents, car la nature lui donne ces vingt ou trente
« penchants et vocations. »

riaire, c'est la charité chrétienne qui est base de l'association ; la loi sériaire n'est autre que l'arrangement même des choses, elle représente en quelque sorte le mécanisme de l'association ; la charité chrétienne en est le principe vivifiant, sans lequel il n'est pas au pouvoir de l'homme de mettre en mouvement aucune partie de ce mécanisme ; autant vaudrait tenter de soulever le monde, sans posséder le levier que cherchait Archimède.

Si nous venons maintenant à examiner la base fondamentale du système, la réunion des trois forces productives, *le travail, le talent et le capital*, ainsi que *la répartition proportionnelle des produits ou bénéfices*, nous trouvons un vice radical à la partie matérielle du système de Fourier, comme nous l'avons trouvé à la partie morale. Ce vice, nous l'avons indiqué durant tout le cours de ce mémoire : le *capital* ne peut être assimilé aux forces véritablement productives, puisqu'il n'est lui-même qu'une valeur arbitraire, factice, une force inerte, qui n'a point par elle-même la faculté de produire. Il est donc certain que le capital ne saurait être associé que fictivement au travail, et qu'il doit nécessairement le dominer et l'asservir.

Ce résultat est d'autant plus inévitable dans le

système de Fourier, que la terre, représentée par des actions, y est mobile, échangeable, transmissible, soumise à l'agiotage, et parfaitement susceptible de se concentrer dans les mains de ceux qui auraient intérêt à dominer le travail et la terre, et à modifier et changer les conditions premières du contrat.

D'ailleurs, dans le système de Fourier, l'argent domine et joue le rôle principal tout comme dans la société morcelée. L'inégalité des fortunes étant conservée dans la phalange, les riches y occupent la première place, ils ont le choix des jouissances, ils ont la permission de l'oisiveté, et ils possèdent les moyens de corrompre les pauvres, et de s'en faire courtiser et flagorner. L'argent rétribuant le travail, y excite la cupidité et l'avarice, tout comme chez *les civilisés* (pour parler le langage de Fourier.) L'argent, dans la phalange sociétaire, entretient l'antagonisme des intérêts, en fait jaillir tous les vices et toutes les passions mauvaises ; et, en total, il ne pourrait manquer dans l'avenir, de faire éclore la misère et le paupérisme à côté de l'abondance qui deviendrait le partage exclusif des possesseurs du capital.

Nous l'avons dit, l'association pour être réelle, ne doit embrasser que les forces réellement productives données par la nature : *la terre, le tra-*

vail, *l'intelligence humaine*. Le capital ne saurait y jouer qu'un rôle, celui de signe unitaire des échanges.

On ne peut procéder à l'association sans l'avance d'un capital; on ne peut rien faire dans la société actuelle sans argent. Lorsque l'association est constituée, elle continue à se servir du numéraire et du papier-monnaie ; dans toutes ses transactions, elle s'en sert également pour accroître ses opérations ; s'il est nécessaire, elle emprunte au taux légal, considérant le capital comme une marchandise qu'elle paie au prix courant comme toute autre marchandise; mais elle ne consent jamais, à quelque condition que ce soit, à *s'associer le capital*, à lui donner *un intérêt proportionnel*, à le faire représentant des intérêts de l'association, à lui donner voix délibérative : le jour où elle y consent, les intérêts cessent d'être solidaires, et l'association fait place à l'antagonisme.

En association la richesse principale doit être *collective*, et non pas *individuelle*. Je nomme richesse principale, *la terre* et les *instruments du travail*, comprenant sous cette dénomination non seulement le cheptel agricole, mais toutes les industries avec leurs métiers et leurs mobiliers complets.

L'individu ne doit pas posséder la terre, puisque le but de l'association est de rendre la terre au genre humain à qui elle appartient de droit. Le but de l'association est de la posséder au nom de tous, et de s'en emparer ainsi graduellement, en payant la valeur numéraire qui la représente, ou bien l'intérêt légal de cette valeur; de s'en emparer ainsi graduellement et légalement au nom de tous pour la rendre à tous. L'individu ne doit pas non plus posséder en propre les instruments et le mobilier qui servent à l'exploitation du sol et de l'industrie, puisque *la propriété collective* du sol et les moyens de l'exploiter, peuvent seuls assurer *le droit au travail*. Ce droit étant posé d'une façon absolue en association, la terre et les instruments de travail appartiennent à tous, deviennent richesse collective. La terre et les industries sont exploitées intégralement par tous les sociétaires, c'est-à-dire, au bénéfice de tous. La terre ne saurait être ni mobile, ni échangeable, ni transmissible, sous forme d'actions ; la terre devient une valeur immobile, appartenant perpétuellement à l'association même. Il en est de même des industries et des instruments de travail.

Nous dirons plus tard à la partie de ce mémoire, intitulée : *Réalisation*, comment nous comprenons les bases précises de l'organisation sociétaire, et comment nous pensons qu'on peut immobiliser la terre sans la rendre main-morte. Dans ce chapitre-ci, nous ne voulons qu'examiner les bases du système de Fourier.

Continuons donc cet examen :

Nous posons en principe, contrairement à Fourier, qu'en association, l'argent ne doit servir en aucun cas à la rétribution ni à la récompense du travail.

Fourier base la loi sériaire sur les inégalités naturelles, et combat avec raison le principe de nivellement des républicains communistes. De même que les facultés naturelles sont inégales, il veut des conditions diverses dans l'association, et il établit une répartition proportionnelle des bénéfices selon l'apport de chacun en *travail*, *capital*, *talent*.

Nous admettons comme Fourier et comme les St-Simoniens les inégalités naturelles, inégalités d'intelligence, de force, d'esprit, de beauté, de caractère, d'instruction, de connaissances, etc. Nous les considérons comme nécessaires à l'harmonie des sociétés, ainsi que les variétés infinies dans la création qui engendrent l'harmonie de toute la nature. Mais pourquoi confondre l'inégalité factice de la richesse avec les inégalités naturelles? Pourquoi vouloir récompenser le mérite avec de l'argent, tandis que déjà dans notre société actuelle, le vrai mérite le dédaigne? Pourquoi, dans un monde régénéré, vouloir tout souiller et tout corrompre par avance, en offrant pour récompense à toutes les vertus, à tous les mérites, à tous les travaux, de l'argent? Dieu a donné à l'homme la terre, le travail, les jouissances morales, intellectuelles, artistiques, mais il ne lui a pas donné l'argent, l'*argent monnayé*, cette valeur factice qui, aussitôt qu'elle se montre, accapare et domine toutes les valeurs réelles.

Les besoins sont inégaux comme les intelligences; ils sont inégaux comme les désirs, les penchants, les passions, les volontés. Mais ces besoins ne sont nullement en rapport avec les mérites; et vouloir donner le plus de richesses aux plus méritants, c'est les donner à ceux qui s'en soucient le moins, et qui sont le moins capables d'en faire usage. La capacité de l'estomac ne se mesure point sur la grandeur de la vertu ou du talent. Les savants, et généralement les hommes d'intelligence, sont sobres de nature, et fort enclins à la simplicité; les besoins insatiables, l'amour du luxe, sont le partage des hommes sensuels préférant l'oisiveté au travail, et enclins à l'individualisme : donc, ils auraient le moins de mérite dans l'association, et par conséquent, bien qu'ils eussent les plus grands besoins, ils posséderaient le moins de moyens de les satisfaire. On voit la difficulté de faire coïncider dans Fourier le principe d'attraction avec la répartition proportionnelle.

Le principe de répartition tel qu'il est dans Fourier est nécessairement faux puisqu'il est la conséquence dé l'association du capital au travail et au talent. Toutefois dans le système même de Fourier se trouve un principe juste de répartition qui n'est nullement basé sur l'argent, qui ne dérive point de l'association du *capital*, mais qui se trouve inhérent à l'organisation même du travail. Ce principe est celui de la loi sériaire organisant hiérarchiquement le travail, et classant chacun selon sa capacité.

Ce classement qui s'opère en quelque sorte spontanément, doit être la seule récompense de tous les genres de mérites et de toutes les vertus. Les plus capables à la tête des travaux, chacun en juste degré de ses aptitudes, et d'autre part les plus moraux, les plus intelligents à la tête de l'organisation générale, tel est le spectacle que doit offrir la hiérarchie dans l'association. Ce classement, on le conçoit, étant un titre à l'estime, à l'affection, à la considération de tous, devient la récompense proportionnelle du travail et du talent, en même temps que du dévouement à *la chose publique*.

Lorsque les St-Simoniens posèrent le principe : *à chacun selon ses œuvres, à chacun selon sa capacité*, il restait à trouver le moyen de discerner et classer toutes les spécialités, vocations et mérites divers qui distinguent les intelligences. Or, dans l'association selon Fourier, le classement hiérarchique de toutes les capacités, s'opère spontanément et équitablement par la seule puissance de la division et de l'alternat des travaux, et du principe d'élection dans chaque groupe.

La loi sériaire appliquée à l'organisation du travail et à l'éducation générale, est le vrai titre de gloire de Fourier, et constitue à proprement dire sa découverte. Toutefois nous ajouterons que le système d'éducation si admirable chez Fourier, quant au développement physique et intellectuel de l'enfant, est entièrement fautif, sous le rapport du développement moral; ce qui doit être dans une théorie qui pèche complètement par la base morale. Autant le principe d'attraction appliqué aux aptitudes de l'enfance est juste, autant il est faux et vicieux appliqué au caractère, à l'âme. L'enfant comme l'homme, est perpétuellement enclin au mal; le seul frein dans l'âge tendre, c'est *la contrainte, la nécessité,* et, à mesure que vient la raison, la connaissance de Dieu et des lois divines, le devoir, l'amour du prochain, en un mot *la religion.*

Fourier pèche encore dans la partie de l'éducation, lorsqu'il prétend réunir en quelque sorte dans une même demeure si grande qu'elle soit, et associer dans les mêmes travaux, hommes, femmes et enfants. Pour ne parler ici que des enfants, ce contact leur serait moralement pernicieux, mortel. Les enfants des deux sexes doivent être séparés ; les enfants doivent être séparés des adultes. Il serait trop long d'en exposer ici tous les motifs, et d'expliquer comment je comprends l'éducation en association ; d'ailleurs un sentiment de délicatesse, et le plus simple raisonnement suffisent à démontrer cette vérité.

Pour résumer notre pensée, nous disons que l'association peut seule détruire radicalement le paupérisme, et effacer de la terre la misère, l'ignorance et l'esclavage. Nous donnons pour bases à l'association : 1° La transformation de la *propriété individuelle en propriété collective,* en ce qui concerne le sol, les industries, et les instruments de travail. 2° L'association des forces naturelles, *la terre, le travail et l'intelligence humaine.* 3° L'exploitation intégrale *des travaux agricoles, industriels, domestiques, artistiques et scientifiques.* 4° *L'organisation du travail d'après la loi sériaire,* c'est-à-dire la participation des travailleurs à diverses branches de travaux, et la hiérarchie des capacités dans chaque groupe. 5° *L'éducation unitaire,* c'est-à-dire le développement intégral des facultés physiques, morales et intellectuelles, chez l'enfant et chez l'adulte. 6° *Le classement spontané des capacités par voie élective du groupe,* classement considéré comme la seule récompense du travail et du talent. 7° *La loi chrétienne servant de règle absolue à tous les devoirs,* formant le code moral, civil et religieux; enseignant incessamment à tous depuis l'enfance jusqu'à la vieillesse, l'amour du prochain, l'abnégation, le sacrifice, le dévouement, l'obéissance envers les chefs, la soumission aux lois.

Telles sont les bases véritables de l'association. Reste une question essentielle à examiner : cette association est-elle réalisable, comment peut-on la réaliser, qui doit en prendre l'initiative, quel est le levier qui peut mettre en mouvement ce monde nouveau ; quel est le souffle créateur qui doit lui donner vie, et le faire passer du domaine des utopies dans le domaine des réalités ?

QUATRIÈME PARTIE.

—

CHAPITRE I.

ESPRIT VÉRITABLE DE L'ASSOCIATION.

Le mobile de l'association, c'est le dévouement ; son esprit véritable, le seul qui puisse lui donner le mouvement et la vie, c'est la spontanéité.

Lorsqu'il y a dix-huit siècles, la doctrine chrétienne transforma toutes les âmes, ce fut par la puissance d'une seule maxime, axiome fondamentale et indestructible de toute morale : *Aimez-vous les uns les autres.* Cet amour que Jésus-Christ ordonnait à toutes les créatures comme le premier lien social, il en donna l'exemple ; cet amour en son âme fut mesuré aux misères de ses frères ; il les aima en proportion qu'ils étaient pauvres, faibles, misérables, dénués, rendant ainsi l'amour du prochain semblable à la justice éternelle.

Lorsqu'il y a dix-huit siècles, Jésus-Christ jeta les premières bases de l'association, il dit à ses disciples : *Suivez-moi, soyez avec moi ;* et en leur recommandant la pauvreté, l'humilité, la douceur, le pardon des injures, il leur en donna lui-même le constant exemple, et s'il fut leur maître, humainement parlant, c'est par sa supériorité dans l'exercice de ces vertus.

Lorsque Jésus-Christ quitta ses apôtres et remonta au ciel, il leur donna pour toute règle : *Partout où vous serez trois réunis en mon nom, mon esprit sera avec vous.*

Les apôtres se dispersèrent dans le monde, et la doctrine de Jésus se répandit de proche en proche, embrassa toutes les âmes, enfanta les martyrs. Les chrétiens, animés d'une même foi, et d'un même amour, imitaient les vertus de leur divin maître, donnaient leurs biens aux pauvres, et fondaient l'église catholique, phare et salut des nations, principe d'unité, modèle d'organisation et d'ordre hiérarchique, qui a traversé dix-huit siècles, a sauvé les sociétés du choc des Barbares, et les a dotées d'une civilisation nouvelle.

L'association chrétienne a sauvé le monde, partant toujours d'un même principe, *l'amour du prochain,* et prenant des développements divers selon les circonstances. Nous voyons d'abord la communauté chrétienne durant les temps de persécution ; nous voyons ensuite les monastères, les congrégations charitables et actives, se dévouant à l'enseignement, au soin des malades et de toutes les infirmités humaines, à l'apostolat, aux missions dans les contrées les plus lointaines. L'association chrétienne sous toutes ces faces a subsisté jusqu'à nos jours ; elle a entretenu la pure flamme de la charité durant des siècles, elle a soulagé et adouci toutes les misères. C'est bien clairement la voie qu'il faut suivre ; désormais ceux qui veulent *l'association des familles et l'organisation du travail,* doivent, comme les associations chrétiennes, partir du principe divin d'amour et de fraternité ; ils doivent, ainsi que l'ont fait les successeurs des apôtres jusqu'à nos jours, dire aux disciples : *Suivez-moi, soyons ensemble, et que Jésus-Christ soit avec nous.* S'ils veulent être chefs, c'est par la supériorité de leurs vertus, qu'ils doivent d'abord inspirer l'obéissance.

Rien de si curieux, de si remarquable dans l'histoire, de plus propre à faire ressortir le beau côté de l'humanité, que les congrégations spontanées des religieux et des religieuses. Qu'on se dépouille de tous préjugés, que l'on se garde d'une fausse philosophie comme d'un dangereux fanatisme, et qu'on étudie l'histoire de ces magnifiques associations qui se sont fondées par des vertus surhumaines, et qui se maintiennent et se transforment depuis tant de siècles. Cette histoire démontre à tout esprit impartial la puissance du principe chrétien, combien le sacrifice et l'abnégation sont de puissants leviers, et comment ils peuvent seuls enfanter l'association, celle qui dans le passé a eu pour but l'adoucissement de toutes les misères, celle qui dans l'avenir aura pour but l'extirpation des misères, en tant qu'elles ne sont pas inhérentes à *l'humanité*, à la création même.

Considérons comment à toutes les époques les fondateurs des ordres religieux, ont accompli les associations nouvelles qu'ils méditaient? Faisaient-ils des livres, des systèmes, où ils déclaraient ignorants et insensés ceux qui avaient vécu jusqu'à eux? Se déclaraient-ils chefs *à priori* en appelant des disciples, réclamaient-ils le concours des riches et des puissants de la terre, don-

·maient-ils une règle à leurs disciples qu'eux-mêmes ne prétendaient pas suivre, et, en réclamant
l'obéissance, l'humilité et la pauvreté, se réser-
vaient-ils exclusivement l'orgueil, le commande-
ment, la jouissance ? En procédant ainsi, si belles qu'eussent été leurs théories, les esprits généreux ne s'y seraient pas ralliés, et jamais ils ne
se fussent trouvés *trois rassemblés dans une même
volonté et dans un même esprit.* Mais qu'on lise,
qu'on étudie, comme étude philosophique si ce
n'est point comme étude religieuse, la biographie
des fondateurs des ordres monastiques, Tous
commencent par se réfugier dans la solitude, par
être seul à seul avec Dieu, et ne lui rien demander
der que de se consacrer perpétuellement à son service. Lorsque l'association se forme, ce sont quelques fidèles qui viennent se grouper autour des
Saints pour imiter leur vie, pour se rapprocher de
Jésus-Christ en se rapprochant de ses élus. Ces
premiers associés continuent à rechercher le silence, l'obscurité, ils appellent le recueillement,
la prière, la méditation. Il n'y a pas encore de
Règle, ils ne font point de prosélytisme, il n'y a
aucune sorte de contrat qui les lie au chef, il n'y
a de chef que le plus digne parmi eux. Et cependant, cette association toute morale, qui relie les
âmes, qui n'est basée que sur le besoin d'une

vertu austère, qui n'a de but que de se rapprocher
du ciel par une perfection idéale, cette association
s'accroît insensiblement ; de nouveaux disciples
accourent de toutes part ; et enfin vient le moment
où le Saint dont le nom est dans toutes les bouches, et a acquis un éclat universel, est forcé par
le grand nombre de ses disciples répandus dans
le monde, de formuler sa règle, de donner sa
constitution, afin que l'unité préside aux monastères qui se forment spontanément en son nom
dans les divers pays chrétiens.

Le premier vœu dans tous les Ordres religieux,
est la pauvreté ; aux temps primitifs du christianisme et au moyen-âge, les Fidèles qui entraient
dans un Ordre religieux, non-seulement se dé-
pouillaient de leurs biens, mais encore ils les dis-
tribuaient aux pauvres, ne pouvant les offrir aux
monastères où ils entraient. Les ordres religieux
subsistaient de leur travail, et sur le surperflu de
leur travail, ils trouvaient encore moyen de faire
d'abondantes aumônes. Cependant il leur fallait
des maisons et des terres, pour qu'ils pussent
vivre en communautés, pour qu'ils pussent féconder la terre de leurs sueurs, et en retirer de quoi
subsister. Là est ce prodige répété durant dix-
huit siècles, et que nous tous désireux de l'association, nous ne saurions assez méditer. Lorsque

les Saint-Antoine, les Saint-Benoit, les Saint-Fran-
çois d'Assise, se vouaient à la vie de solitaires,
ils allaient, ainsi que nous l'avons vu, dans le désert ou dans les forêts, chercher quelque caverne,
quelque grotte, ou bien ils se bâtissaient de leurs
propres mains, une hutte, une cabane, et défri-
chaient et cultivaient le morceau de terre qui en-
vironnait leur humble demeure. Ils travaillaient
aussi de leurs mains en tressant des joncs, des
pailles, des roseaux dont ils formaient des paniers
et des nattes : quelque pâtre venait habituellement
chercher ces produits, et en échange leur rappor-
tait du pain, des légumes et du sel. Si la vente
donnait un superflu, il était distribué aux pauvres. Du reste on connaît l'austérité surhumaine
de ces pieux cénobites, de ces solitaires de la
Thébaïde, qui se sont ensuite répandus en Occident comme en Orient, et ont démontré par leur
exemple irrécusable à quel point l'homme peut
se dominer, se commander, macérer la chair, enfin combien le principe de l'infini l'emporte dans
notre nature sur le principe matériel et fini. Peu-
à-peu d'autres solitaires venaient spontanément
autour du Saint bâtir aussi leur hutte, bêcher
leur coin de terre, joindre le travail des mains à
la prière incessante. Et lorsque la vertu si humble
de ces solitaires avait son retentissement dans le

monde, et que le nombre des disciples allait s'accroissant, alors de toutes parts les riches, les seigneurs, les souverains, leur offraient des maisons pour vivre en communautés, des terres pour qu'ils pussent subsister de leurs produits, et les donations multipliaient en nombre avec les disciples. Ces derniers ne voulaient que la plus humble cellule, mais les besoins de la vie collective, transformaient la réunion de cellules en une sorte de palais; ils n'acceptaient presque toujours que des terrains incultes, situés dans les lieux les plus sauvages, les plus déserts; mais par la puissance du travail collectif, ils transformaient la terre la plus ingrate en un sol fécond, et d'un désert ils faisaient un lieu enchanté. Les monastères et les disciples se multipliaient d'une façon si étonnante qu'elle tenait du miracle. Un Saint apparaissait, il passait quelques années dans le désert, jamais sa voix ne faisait d'appel, jamais il ne cherchait le prosélytisme, jamais il ne réclamait le concours des grands et des puissants; mais les disciples allaient à lui spontanément; mais les grands et les puissants sollicitaient de pouvoir prodiguer leurs trésors, faire donation de leurs terres, de leurs palais, mais l'Ordre nouveau s'étendait spontanément dans le monde.

Saint-Antoine, patriarche des cénobites en

Orient qui, à l'âge de vingt ans, vendit tout son bien pour le distribuer aux pauvres, et qui vécut toute sa vie dans la solitude, recherchant les déserts les plus écartés, laissa à sa mort plus de dix mille religieux de son ordre, répandus dans les principales villes d'Orient, et ce nombre ne fit toujours que s'accroître.

Saint-Benoît, patriarche des cénobites en Occident, dont la règle, qui recommande sept heures de travail par jour, devint bientôt universelle dans le monde chrétien, avant de se retirer au Mont Cassin, avait bâti de ses mains, aidé de ses religieux, douze monastères en Italie. Il plaça dans chacun douze moines en leur nommant un supérieur. Lorsqu'il se rendit au Mont Cassin, à la place même où il bâtit le fameux monastère de ce nom, on voyait encore un temple d'Apollon, où des idolâtres continuaient à venir offrir de l'encens. Benoît prêcha l'Évangile, et convertit tous ceux qui entendirent sa parole; ensuite il brisa l'Idole, abattit le bois profané qui l'entourait, démolit le temple, et éleva sur ses ruines deux chapelles, sous l'invocation de saint Jean-Baptiste, et de saint Martin. Auprès de ces deux chapelles il jeta les fondements du monastère; le sénateur Tertulle qui avait confié son fils à Benoît, donna au nouveau monastère des biens qu'il avait dans le voisinage, et une terre considérable située en Sicile. On sait que la règle de saint Benoît, adoptée dans les commencements par tous les moines d'Occident, eut l'influence la plus salutaire pour faire reprendre les travaux d'agriculture presqu'abandonnés à cause des invasions sans cesse renouvelées des Barbares. Chaque monastère devenait à la fois un refuge pour les malheureux paysans, et une ferme-modèle. Avant que l'imprimerie ne fut découverte, ce furent également les Bénédictins qui conservèrent en Europe le précieux dépôt des manuscrits de l'antiquité, des temps primitifs de l'Église et du moyen-âge. Ils en multiplièrent les copies avec un zèle infatigable, et déployèrent dans leurs propres travaux un vaste savoir et une immense érudition.

.Quoi de plus admirable que la fondation de Clairvaux par saint Bernard. Bernard de Fontaines, l'un des gentilhommes les plus accomplis de son siècle, et l'aîné de sa famille, renonce à la fleur de l'âge à tous les avantages de la fortune et de la naissance, et se rend, l'an 1113, avec quatre de ses frères, son oncle, et vingt-quatre gentilshommes que son exemple entraîne, jusqu'au monastère de Citeaux, fondé depuis quinze ans par Étienne. Là, ces jeunes, riches et beaux seigneurs, à qui s'offraient tous les plaisir et tous les avantages du monde, s'agenouillent devant la porte du monastère, et attendent dans cette humble posture, que l'abbé veuille bien les admettre. Quelques années après, Bernard reçoit la mission d'Étienne d'aller fonder un monastère, sur des terres qu'offrait à l'ordre de Citeaux, Hughes, comte de Troyes. Bernard et douze religieux au nombre desquels étaient ses frères, sortent de Citeaux en procession et en chantant des psaumes. Ils s'arrêtent dans un désert, appelé la vallée d'Absinthe, au diocèse de Langres. Ce désert était au milieu d'une forêt qui servait de retraite à un grand nombre de voleurs. Ils défrichèrent une partie de cette forêt, et s'y bâtirent de petites cellules, avec l'aide de l'évêque de Châlons, et des habitants du pays. Les religieux animés par l'exemple de Bernard, supportaient courageusement la plus rigoureuse pauvreté, réunie aux plus pénibles pratiques de la pénitence. Le pain dont ils se nourrissaient était ordinairement d'orge, de millet ou de vesce. Souvent leurs potages étaient faits de feuilles de hêtres.

Peu d'années après on comptait à ce premier monastère nommé de Clairvaux, cent-treize moines. En 1118, Bernard fonde les monastères des Trois-Fontaines et de Fontenai en France, et celui de Tarouca en Portugal. Un peu plus tard, ces

monastères comptaient jusqu'à sept cents religieux prêts à donner leur vie au moindre signal
de la volonté de Bernard, et à lui obéir comme à
un ange envoyé du ciel.

Ce ne sont point là des exemples isolés, et dus
à l'influence qu'exerce le génie d'un homme. Ces
exemples se répètent sans discontinuité durant dix-
huit siècles dans tous les pays chrétiens. Nous
voyons, à toutes les époques, les ordres religieux
se fonder spontanément, par l'ascendant moral
d'un homme dont la vertu et la sainteté sont su-
périeurs à la vertu et à la sainteté de ses disciples.
Ils ne s'inquiètent jamais des moyens de subsistance, et les moyens de subsistance ne leur manquent point ; ils méprisent les richesses, ils se dé-
pouillent de leurs biens, et les richesses viennent
les chercher, et à la longue même sont cause de
la corruption et de la décadence de ces mêmes
ordres religieux, que de nouveaux saints viennent alors ramener à la règle primitive, et reconstituer sur de nouvelles bases.

Et qu'on n'allègue point que cette puissance
d'association est due à la foi et à l'enthousiasme
religieux du moyen-âge. Cette puissance de l'association chrétienne a subsisté durant les derniers siècles dans toute sa force, en face du protestantisme, en face de la philosophie voltairienne;

elle subsiste aujourd'hui au milieu de la divergence des opinions, du chaos des institutions, de l'anarchie des idées, de la lutte et de l'antagonisme des intérêts; aujourd'hui les ordres religieux offrent encore la même puissance d'extension spontanée, ils réalisent seuls dans notre société l'association vraie, c'est-à-dire l'harmonie des âmes, la fusion des intérêts, une juste hiérarchie.

C'est au dix-septième siècle, à l'époque de Luther, lors de l'effervescence des esprits en matière religieuse, qu'apparaît saint Ignace de Loyola, cette figure sublime qu'on tourne en dérision si l'on n'est pas capable d'en admirer la grandeur. Saint Ignace de Loyola est un page élevé à la cour d'Espagne, adonné au plaisir, au luxe, à la galanterie. A l'armée il fait preuve d'une héroïque bravoure. Blessé au siége de Pampelune, condamné durant sa convalescence à la solitude et à l'inaction, *la Vie des Saints* lui tombe par hasard entre les mains, et cette lecture opère en son âme une métamorphose complète. Ignace prend la résolution inébranlable de se vouer tout à Dieu, et se sent destiné à accomplir de grandes choses dans ce siècle où tout s'agite, tout se meut, où le moyen-âge s'efface devant un ordre d'idées nouvelles et de découvertes prodigieuses, où le catholicisme

s'ébranle par la corruption du clergé et la décadence des ordres monastiques. Que va faire **Ignace**,
jeune, beau, riche, de haute naissance, et bien à
la cour? Va-t-il employer tous ces avantages à la
réussite des desseins pieux qui bouillonnent encore dans sa tête sous une forme vague? Non, les
hommes vraiment inspirés de Dieu ne cherchent
pas leur appui dans ces moyens humains, faits
pour les ambitions terrestres et passagères; ils
se confient tout en Dieu, et ne s'aident que de
Dieu seul. Ignace renonce à sa fortune, à son
nom, il quitte à jamais le château de ses pères,
il se dépouille de ses armes, il se voue à la sainte
Vierge et au divin Sauveur. Il reçoit l'absolution
de ses péchés, il se confond avec les pauvres, il
mendie avec eux, il soigne les malades, fait sa
demeure d'un hôpital, se macère le corps, se sou-
met aux plus rudes austérités ; il se réfugie enfin
dans une caverne proche de la ville de Manrèse,
où livré à d'ardentes méditations, il compose les
Exercices spirituels, qui portent le germe de la
constitution de son ordre, et furent vingt-trois ans
après approuvés par le souverain pontife. Ignace
retiré mourant de ce lieu désert, possède donc
l'idée précise de la compagnie qu'il doit fonder ;
va-t-il faire du prosélytisme, chercher des disciples, s'adresser aux rois, au pontife? Non, il se

rend en pélerin à Jérusalem, et ne forme qu'un désir, celui de passer sa vie auprès du tombeau de Jésus-Christ. Il ne peut en obtenir la permission, et revient en Europe ; il songe que son ignorance pourrait être un obstacle à l'accomplissement des desseins de Dieu sur lui, et à l'âge de trente-trois ans, il a le courage de se reméttre sur les bancs de l'école, et se rend à Barcelone pour suivre un cours de grammaire pendant deux ans. Il va ensuite faire son cours de philosophie à l'université d'Alcala, où il loga dans un hôpital, ne vivant que d'aumônes, et catéchisant les petits enfants.

Il tient aussi dans l'hôpital des assemblées de charité, et convertit par ses discours des pécheurs endurcis dans le crime. Persécuté à Tolède, il suit le conseil de l'archevêque, et se rend à Salamanque, où le peuple attiré par la solidité de ses instructions, le suit en foule. L'autorité s'en alarme, Ignace est mis vingt-deux jours en prison. Son innocence est proclamée publiquement ; cependant il prend la résolution d'aller continuer ou plutôt recommencer ses études à Paris.

Cette fois il comprend la nécessité de ne pas recourir à l'aumône en pays étranger, et consent à recevoir quelqu'argent de sa famille. Il emploie deux ans à se perfectionner dans la langue latine au collége Montaigu ; il passe ensuite au collége Sainte-Barbe , et commence enfin son cours de théologie chez les Dominicains. Il ne cesse point de s'occuper de bonnes œuvres, il soigne les malades dans les hôpitaux, il travaille à la conversion des pécheurs. Seulement alors il songe à réaliser l'*Institut* qu'il a entrevu dans ses méditations à Manrèse, et il convertit à ses idées deux de ses compagnons d'études, Pierre Lefebvre et François Xavier qui fut depuis l'apôtre des Indes et du Japon.

Quatre disciples se joignent spontanément à ces deux premiers. Dès-lors, Ignace veut les attacher, non pas à lui, mais à Dieu; après avoir jeûné et prié en commun, ils se réunissent le 15 août 1534, dans une chapelle souterraine de l'église de Montmartre. Là, ces sept chrétiens, que Pierre Lefebvre, déjà prêtre, avait communiés de sa main, font vœu de vivre dans la chasteté; ils s'engagent à une pauvreté perpétuelle; ils promettent à Dieu qu'après avoir achevé leur cours théologique, ils se rendront à Jérusalem pour sa glorification; mais que si au bout d'une année, il ne leur est pas possible d'arriver à la ville sainte, ou d'y demeurer, ils iront se jeter aux pieds du souverain pontife, et lui jurer obéissance sans acception de temps ou de lieu.

Tels sont les commencements de cet Institut qui devait si vite se répandre dans le monde, et qui depuis trois siècles a possédé une si grande influence. Cependant Ignace retourne en Espagne pour arranger ses affaires et celles de ses compagnons; il leur assigne rendez-vous pour deux années après, à Venise. Il se rend au château de Loyola, revoit sa famille, vend ses propriétés, les distribue en aumônes et en fondations pieuses ; il ne veut même pas résider au manoir paternel, et va loger avec les pauvres de l'hôpital ; ses paroles ont tant de puissance sur le peuple, qu'on le suit en foule, et qu'il donne ses instructions en pleine campagne.

Il se réunit à ses disciples à Venise à l'époque indiquée. Déjà le nombre s'en était accru ; à Venise ils s'occupent d'œuvres de miséricorde, ils vont dans les hôpitaux instruire les ignorants, servir les malades, assister les moribonds et enterrer les morts. Ils reçoivent les ordres sacrés, et se dispersent dans l'Italie pour prêcher au peuple la nécessité de faire pénitence.

Comme le chemin de la Palestine leur était fermé à cause de la guerre que les Vénitiens avaient déclarée aux Turcs, ils se rendent à Rome, conformément à leur vœu, pour se jeter aux genoux du pape, et se mettre à sa disposition. Paul III les accueille avec joie, emploie leurs capacités, et charge spécialement Loyola de la réformation des mœurs, par la voie des exercices spirituels, et des instructions chrétiennes.

Seulement en 1538, Loyola songe à réunir en ordre religieux, ses compagnons et disciples dont le nombre s'est toujours accru; deux années plus tard, le nouvel Ordre est approuvé par Paul III, sous le nom de compagnie de Jésus; Ignace en est élu librement par ses compagnons, supérieur-général; il s'occupe de rédiger ses constitutions.

Il fonde à Rome des établissements de charité; il envoie ses disciples en missions évangéliques dans toutes les parties du monde. En 1546, ils commencent à enseigner dans l'Europe; le duc de Gandie leur fait bâtir à Gandie le premier collége qu'ils aient eu. Six années après, le même duc de Gandie donne une somme considérable destinée à bâtir pour la Compagnie de Jésus, le Collége romain. Ignace s'occupa spécialement de ce collége pour le rendre modèle de tous les autres, et créa également à Rome le Collége germanique qui eut une immense influence sur les destinées religieuses de l'Allemagne.

Ignace fut général de la société durant quinze

ans. Il mourut à l'âge de soixante-cinq ans, après l'accomplissement des trois choses qu'il avait le plus désirées sur cette terre : voir les souverains pontifes confirmer son Institut, les entendre approuver le livre des Exercices spirituels, et savoir que les constitutions de l'Ordre étaient promulguées partout où travaillait un de ses disciples.

Plus rapprochée de nous, au dix-septième siècle, apparaît la figure resplendissante de St-Vincent de Paul. C'est encore un de ces hommes qui, par la seule puissance du sentiment chrétien, illumine son siècle, domine ses semblables, entraîne à la fois les puissants de la terre et la multitude du peuple, répond à tous les besoins de son époque, et laisse une trace ineffaçable de son passage ici-bas. St-Vincent de Paul est l'homme évangélique par excellence; il résume dans sa personne toutes les vertus et toutes les bonnes œuvres du christianisme. Le bien qu'il a accompli est éminent et semble un prodige; à quoi tient sa puissance? A la charité seule, c'est la seule force que posséda Saint Vincent de Paul. Il n'eut ni la fortune, ni la naissance, ni la beauté, ni l'instruction, ni le génie, ni même cette exaltation religieuse qui animait les Sts-François d'Assise, les Dominique, les Ignace.

St-Vincent de Paul possédait le don de charité ; elle brûlait, elle dévorait son âme ; ce fut par l'amour de ses semblables, par sa commisération pour les malheureux, qu'il toucha toutes les âmes, séduisit tous les esprits, secourut toutes les infortunes, et créa des fondations pieuses, des associations charitables pour toutes les misères humaines.

Saint Vincent de Paul est né dans la classe des travailleurs ; ses parents étaient de pauvres villageois qui cultivaient un petit champ de leurs mains. Ils firent pourtant étudier leur fils chez les Cordeliers : Vincent, en embrassant l'état de précepteur, se mit à même de continuer ses études, et de poursuivre son cours de théologie. A vingt-quatre ans il avait reçu les ordres ; à vingt-neuf ans c'était un pauvre prêtre obscur, n'ayant d'ambition que de servir Dieu.

Obligé de faire un voyage à Marseille, et de traverser la mer jusqu'à Narbonne, le vaisseau où il se trouve est pris par des corsaires barbaresques : on le conduit à Tunis avec les autres passagers, et on le vend comme esclave. Vincent se résigne à son sort, et adore Dieu en esclavage comme il l'avait adoré étant libre. Son troisième maître est un renégat que Vincent convertit ; tous deux prennent la fuite, traversent la Méditerranée sur une barque fragile, et abordent à Aigues-Mortes. Le renégat rentre dans le sein de l'église, et va faire pénitence dans un monastère ; Vincent se rend à Paris, où il se consacre à toutes sortes de bonnes œuvres, et particulièrement au service des malades à l'hôpital de la Charité.

Cependant, si cachée que soit sa vie, l'éclat de sa vertu se fait jour jusqu'à Marguerite, femme de Henri IV ; elle veut voir Vincent, et lui donne le titre de son aumônier ordinaire. On le nomme curé à Clichy ; sa charité sème déjà des établissements utiles, et il devient l'ange tutélaire de ses paroissiens. On l'oblige de quitter sa cure pour le charger de l'éducation des enfants du comte de Joigny. Le comte et la comtesse, pleins d'admiration pour ses vertus, lui confient des sommes considérables pour former la congrégation des prêtres de la mission. L'archevêque de Paris donne le collège des Bons-Enfants pour loger la nouvelle communauté.

Saint Vincent entreprit le premier la réforme dans les prisons. Aidé des libéralités de plusieurs personnes, il réunit dans une même maison les galériens dispersés dans les différentes prisons de Paris, où ils étaient réduits au plus affreux abandon. Après avoir pourvu aux besoins corporels de ces malheureux, il leur donne l'instruction spirituelle ou en charge les prêtres de la mission. Louis XIII instruit de l'ordre admirable qui régnait dans cette maison centrale, chargea Vincent de l'établir par toute la France, et à cet effet le nomma aumônier-général de toutes les galères du royaume.

Vincent, après avoir établi un hôpital pour les galériens à Marseille, établit la *Confrérie de la Charité*, pour le soulagement des pauvres malades de chaque paroisse. Il établit la *Confrérie des Dames de la Croix*, ayant pour objet l'éducation des jeunes filles. Il établit encore la *Confrérie des Dames*, qui se consacrait au service des malades dans les grands hôpitaux. Saint Vincent fut le fondateur des hôpitaux de la Pitié, de Bicêtre, de la Salpêtrière, des Enfants-Trouvés.

Jusqu'à saint Vincent, les enfants périssaient sur la voie publique. Il n'y avait point d'asile pour ces pauvres petits. Chaque jour on comptait un nombre de victimes. Vincent, touché de pitié pour le sort de ces innocentes créatures, pria quelques dames de son assemblée de charité de les recueillir. Elles commencèrent à prendre soin de quelques-uns d'entre eux, et on en augmentait le nombre à mesure que les ressources se multipliaient. Le roi donnait douze mille livres de rentes pour l'établissement; des libéralités pieuses aidaient à le soutenir ; mais le nombre des enfants allait toujours en augmentant, et les frais dépassaient quarante mille livres. Les dames se découragèrent et ne se sentirent plus capables de poursuivre une œuvre si difficile. Mais Vincent les réunit, et, versant des larmes, parlant à ces mères au nom de leurs propres enfants, il leur adressa de si touchantes prières en faveur de ces pauvres êtres abandonnés, que ces dames, à leur tour toutes éplorées, s'engagèrent, pour l'amour de Jésus-Christ, à poursuivre leur bonne œuvre. On obtint du roi des bâtiments dans le faubourg de Saint-Lazare ; on confia l'éducation des enfants à douze sœurs de la Charité; Louis XIV et Louis XV augmentèrent successivement leurs revenus; vers la fin du siècle dernier on comptait dans Paris seul quarante mille de ces infortunés qui doivent leur existence à saint Vincent.

C'est à saint Vincent que l'on doit, l'institution des sœurs de la Charité. Il fut aidé dans cette œuvre évangélique par mademoiselle Gras. Il est à remarquer que ce fut parmi les femmes que l'apôtre de la charité trouva surtout une assistance zélée et persévérante. Même la régente, Anne d'Autriche, lui accorda constamment son concours ; elle avait pour lui un sentiment de vénération, et le consultait sur toutes les affaires.

Dans sa pauvreté Vincent disposait de ressources immenses. Ayant appris l'état misérable où la guerre avait réduit les habitants de la Lorraine, il recueillit à Paris seul des aumônes pour deux millions qu'il envoya à ces malheureux.

Quand saint Vincent termina sa belle vie, à l'âge de quatre-vingts ans, des personnes de la première qualité assistèrent à ses funérailles ; mais on y voyait encore la foule du peuple qui pleurait son père, son protecteur, le meilleur ami qu'il eût eu auprès de Dieu dans le Ciel, et auprès des puissants sur cette terre.

Dans ces courtes et rapides Biographies de quelques-uns des grands hommes du christianisme, j'ai voulu donner idée de la puissance de la foi et de la charité chez ces hommes, et de la simplicité des moyens qu'ils employaient pour accomplir des œuvres immenses et durables.

Je n'ai point voulu dire que le salut du monde fût dans les ordres monastiques ; le salut du monde est dans le principe chrétien, dans la fraternité évangélique, dans l'accomplissement du sacrifice à l'imitation de Jésus-Christ. C'est au principe chrétien que nous devons demander exclusivement l'abolition du paupérisme, et une nouvelle ère d'aisance, de moralité, et de bonheur

pour les masses opprimées. Or, l'esprit monasti-
que proprement dit n'a de puissance que d'adoucir les misères humaines ; il n'est pas en son pouvoir d'en extirper la racine ; ce n'est point la
tâche qu'il se propose, ce n'est point le but où il
tend ; les conditions de son organisation y portent
même obstacle. Si j'appelle l'attention des esprits
sur les bienfaits des congrégations religieuses,
c'est parce que j'y vois se réaliser durant dix-huit
siècles la puissance continue de l'association, puissance aussi forte de nos jours qu'au moyen-âge.
Cette puissance d'association, je ne la vois exister
absolument que dans le christianisme ; je ne la
vois exister que par l'imitation de Jésus-Christ,
par la charité évangélique, par les plus sublimes
efforts de la vertu. Il est donc évident que si l'association seule a le pouvoir de détruire le paupérisme, il faut qu'elle découle des mêmes principes
qui ont fait l'existence et la durée des associations
religieuses. Il est évident aussi que son organisation doit être entièrement différente des associations religieuses, puisque l'association nouvelle
embrasse des familles, et non des individus ;
qu'elle a pour objet l'organisation du travail, et
non pas seulement les œuvres de charité ; puisqu'elle a pour but final la plus grande somme de
produits agricoles, industriels, artistiques, et in-

tellectuels, et non pas la pauvreté, les austérités, et les macérations.

Si j'appelle particulièrement l'attention sur les fondateurs des ordres religieux à toutes les époques, sur les saints Antoine, Benoît, Bernard, Ignace, et Vincent de Paul, c'est afin que les socialistes eux-mêmes, ceux qui veulent l'association, en comparant la différence de leur initiative, comprennent pourquoi leurs efforts restent stériles. Nous avons vu tous ces grands saints, tous ces beaux génies, commençant par se dépouiller de leur fortune, rechercher d'abord la solitude, l'obscurité, la méditation, et lorsque des disciples leur viennent, s'associer eux-mêmes, et n'être leur supérieur que par l'exemple de plus grandes austérités, et d'une charité plus vive et plus ardente. Que l'on remarque encore qu'ils ne formulent leur règle, ils ne l'arrêtent d'une manière définitive, qu'après l'avoir pratiquée spontanément durant de longues années. Au contraire, les socialistes, soit que nous les prenions dans les rangs des Saints Simoniens, des Fouriéristes, des Owenistes, ou bien dans les rangs des républicains et des communistes, apportent *a priori* un système, une théorie, une doctrine ; pour la réaliser les uns demandent de l'argent, énormément d'argent, et toujours de l'argent ; les autres veulent au préalable renverser le gouvernement, et bouleverser l'ordre actuel des choses : tous se posent en chefs, et se proclament les plus capables, les seuls capables, de réaliser leur doctrine, leur théorie.

Aussi, qu'avons-nous vu dans les *sociétés,* (j'emploie expressément le mot *sociétés,* car il n'y a pas eu d'associations), qu'avons-nous vu dans les sociétés républicaines, communistes, socialistes : toujours le même spectacle de discorde, d'anarchie, et lorsque des âmes généreuses s'égarent dans leur sein, elles sont victimes de la cupidité et de la ruse d'autrui.

Parmi tous ces hommes, soit socialistes, soit républicains, qui prêchent un nouvel ordre de choses, le soulagement des misères du peuple, l'organisation du travail, une répartition plus équitable des richesses, enfin l'association, nous n'avons point vu s'accomplir une seule fois le précepte de Jésus-Christ : *Soyez trois réunis dans une même volonté, et mon esprit sera avec vous.*

Nous n'avons pas vu un homme rallier à sa *charité* quelques disciples, et s'associer avec eux d'âme et de biens : nous n'avons point vu quelques uns d'entre eux, fût-ce *à trois* réaliser spontanément l'association. Nous ne les avons point vus dire comme Jésus-Christ à ses apôtres : *Suivez-moi, soyez avec moi.*

Pourquoi cela? Pourquoi ces hommes dont quelques-uns furent doués de qualités si éminentes, et qui possédaient la charité et l'abnégation, ont-ils échoué dans leurs efforts, ont-ils vu leur drapeau se déchirer, la discorde et l'anarchie s'élever parmi eux ; pourquoi tant de passions orageuses les ont-ils agités, pourquoi ont-ils senti leur puissance d'un jour s'évanouir sous un souffle invisible? Parce qu'il sont partis d'un principe faux, du principe de la jouissance, du principe sensuel, du principe païen et mahométan, qui représente le principe du mal, le principe tentateur, et qui partage le monde avec le principe chrétien depuis la tradition la plus reculée. Ceux d'entre eux qui n'ont pas appelé les richesses, ont appelé le pouvoir ; ceux qui n'ont pas été dominés par le sensualisme, l'ont été par l'orgueil : *sensualisme* et *orgueil*, ces deux mots nous expliquent la stérilité de tous les efforts tentés parmi les socialistes, pour amener une ère nouvelle pour les masses laborieuses.

Qu'un saint Bernard, un saint Ignace, un saint Vincent de Paul viennent aujourd'hui, et l'œuvre d'association sera accomplie. Lorsque ces hommes parurent, chacun répondit au besoin de son époque; saint Bernard prêcha la croisade ; saint Ignace fut le bouclier du catholicisme; saint-Vincent conçut le premier dans une société qui commençait à devenir stable, le dessein de secourir toutes les infortunes ; il fut le premier socialiste ; il eut le premier la pensée de remédier à toutes les misères par la puissance des institutions. Si ces mêmes hommes avaient vécu de nos jours, ils auraient voué leur vie à l'abolition du paupérisme, à l'organisation du travail. Mais pour atteindre ce but, ils auraient donné leur âme et leurs biens, et se seraient associés eux-mêmes spontanément avant de prêcher l'association.

Et réfléchissons bien que s'il n'appartient à aucun de nous d'égaler le génie des saints-Augustin, Jean Chrysostôme, Bernard, il nous appartient à tous, en réclamant incessamment l'assistance divine, de nous approcher du moins de saint-Vincent de Paul. Saint-Vincent fut surtout grand par la charité ; il n'eut que le génie de la charité ; ce fut par l'aspiration perpétuelle vers les mérites de Jésus-Christ, qu'il acquit cette charité brûlante qui se communique invinciblement à autrui. Tous nous pouvons, comme saint Vincent de Paul, acquérir ce don divin de charité, tous nous pouvons réaliser l'association.

Cessons, comme les républicains, de vouloir renverser les gouvernements, bouleverser les sociétés, pour faire triompher nos principes, pour mettre à l'essai nos utopies. Cessons comme les communistes, de vouloir arracher la richesse aux riches, et de prétendre au partage égal des biens; contentons-nous de partager notre propre propriété si petite qu'elle soit, et prêchons d'exemple. Cessons, comme les socialistes, de prôner des systèmes, et de faire appel à l'argent pour les mettre à l'essai; si nous avons foi dans l'association, associons-nous, tâchons de nous réunir trois dans une même volonté, afin que l'esprit de Jésus-Christ soit avec nous. Imitons saint Bernard qui va dans un désert avec douze religieux n'ayant de richesse qu'un crucifix, n'ayant d'armes que le chant des psaumes, et qui change le désert en campagne fertile, et y élève le monastère le plus fameux du siècle. Imitons Ignace de Loyola qui emploie ses efforts à convertir deux disciples, et se voit quelques années plus tard à la tête d'une milice infatigable qui depuis trois siècles, domine le monde. Imitons saint Vincent de Paul qui le premier ramasse sur la voie publique, et réchauffe dans son sein quelques-uns de ces petits enfants condamnés de temps immémorial à périr, et qui, par cet élan admirable de charité, par sa foi dans la Providence, a donné la vie à des millions de ces pauvres êtres abandonnés.

Et qu'on ne dise point : le siècle est à l'égoïsme, la cupidité envahit tous les cœurs ; vainement un saint Bernard prêcherait une croisade évangélique pour les travailleurs; vainement un saint Vincent de Paul ramasserait quelques prolétaires, les réchaufferait dans son sein, et tenterait par la puissance d'une association graduelle de les secourir tous; vainement un saint Ignace méditerait durant vingt-trois ans les constitutions propres à la nouvelle association : les cœur resteraient froids, les oreilles resteraient sourdes, et une curiosité vaine et stérile serait le seul sentiment qui s'éveillerait dans les âmes glacées !

C'est par ces tristes raisonnements qu'on cherche à étouffer toute généreuse tentative. Heureusement, les faits sont là pour nous rassurer ; et ici, je ne citerai point les sacrifices réels *des hommes politiques* pour la cause à laquelle ils s'attachent, que nous les cherchions soit parmi les royalistes, soit parmi les républicains ; je ne m'attacherai point à énumérer les dons inépuisables de la charité privée ; non, je puiserai encore mes preuves dans ces associations chrétiennes si admirables dans leur principe, et dont l'étonnante extension s'opère chaque jour sous nos yeux. Ce ne sont point seulement les pauvres qui en embrassent la règle austère et surhumaine, ce sont aussi les riches ; ce sont des hommes et des femmes de tout âge, de toutes classes, de toutes conditions ; ce sont des hommes d'une haute position sociale, et dans la maturité du talent ; ce sont des femmes, les unes jeunes et belles, les autres riches et honorées, qui quittent, hommes et femmes, riches et pauvres, vieillards et jeunes gens, esprits simples ou vastes génies, leur rang, leur fortune, les douceurs de la famille , les plaisirs du monde, pour aller se courber sous une règle uniforme, s'astreindre à des devoirs pénibles, se dévouer aux soins les plus humbles, soit dans l'enseignement, soit dans les hôpitaux, se rendre dans les missions étrangères, où le dévouement devient de l'héroïsme, et attend pour récompense le martyre. Cette abnégation complète, cet amour du sacrifice, ce détachement de tous les biens de ce monde, sont des exemples qui se répètent incessamment dans l'universalité du monde chrétien. Ne désespérons donc point de l'humanité ; l'égoïsme et la cupidité ne sont que des maladies passagères, tandis que la rédemption est le miracle perpétuel qui entretient l'amour du sacrifice au cœur des hommes.

Pourquoi donc ne verrions-nous pas les mêmes miracles s'opérer dans l'association nouvelle? Lorsqu'une voix se fera entendre qui donnera pour but aux efforts généreux non plus seulement l'adoucissement des misères humaines, mais leur guérison; lorsque l'association ne proscrira pas le mariage et les joies de la famille, mais les encouragera; lorsque l'association réunira à l'organisation des travaux le magnifique spectacle de l'éducation unitaire; lorsque les austérités et les macérations ne consisteront plus que dans la nécessité de s'endurcir le corps et de vivre sobrement afin d'être apte aux grandes choses; lorsque la pauvreté, sacrifice volontaire, ne sera plus le but, mais un moyen d'étendre plus rapidement le bienfait de l'association, et de parvenir à la richesse universelle; lorsque le mérite du chrétien consistera surtout à procurer à ses frères la plus grande somme possible d'aisance, de moralité, et de bonheur, et à ne vouloir pour soi-même de ces biens qu'à la condition de les partager; lorsqu'une société nouvelle s'organisera sur ces bases, et présentera un spectacle parfait d'ordre et d'harmonie : pouvons-nous douter que non-seulement tous ceux dont l'existence est précaire, ne consentent à en faire partie, mais encore que les esprits généreux dans toutes les classes, même les plus élevées, las d'une vie oisive, fatigués des vains plaisirs mondains, pleins de compassion pour les maux qui dévorent le peuple, atteints au cœur de leurs propres peines, pouvons-nous douter que tous ces hommes, toutes ces femmes, dont le luxe et l'opulence recouvrent souvent des peines plus cuisantes que chez le prolétaire, n'embrassent eux-mêmes l'association nouvelle, ne viennent y chercher la paix de l'âme et un but utile, ne viennent, par leur exemple, animer au travail et moraliser toutes les pauvres créatures arrachées à l'excès de la misère et de l'abrutissement ?

CHAPITRE II.

FACE MATÉRIELLE DE L'ASSOCIATION.

Le problème de l'association nouvelle, c'est-à-dire de l'organisation du travail, doit être résolu sous une double face ; la première partie du problème, qui présente la face matérielle de l'association, se résout en quelque sorte par les termes mêmes où il est posé : *la terre fournit-elle à la subsistance de l'homme à la condition de son travail ?* Nous avons déjà résolu cette question affirmativement. La terre fournit à la subsistance de l'homme, même lorsqu'en qualité de fermier, il paie l'intérêt de la terre au taux actuel. Une propriété rurale de la valeur d'environ dix mille francs suffit à faire vivre dans l'aisance une famille composée du père, de la mère, de cinq enfants, sans compter les domestiques, et un nombre de journaliers employés dans l'année. Une maison, avec un jardin et un petit pré, se loue trente francs par an, et donne un produit suffisant, en y comprenant des journées de travail dans la bonne saison, à faire vivre une famille composée également de cinq à six personnes. Ici, le capital n'est que de six cents francs au lieu de dix mille ; mais là c'est l'aisance, ici c'est la misère. Toutefois, cette misère n'est point celle du prolétaire des villes ; ces paysans vivent d'aliments grossiers, ils sont couverts des vêtements les plus communs, leurs demeures ressemblent plus aux huttes du sauvage qu'à des maisons ; mais ils ne souffrent ni de la faim, ni du froid. La population généralement dans les campagnes est saine, forte, et bien constituée. Le plus grand fléau des habitants des villages et des campagnes, c'est l'oisiveté qui engendre l'ennui, et conduit à l'abrutissement. Aussi, il n'y a pas un paysan qui ne voudrait être employé à la ville ; il n'y a pas une paysanne qui ne voudrait être servante dans une maison bourgeoise.

Je puis donc conclure avec certitude de ce qui précède, que la terre nourrit l'homme à la condition de son travail, même dans les conditions les plus désavantageuses, puisque dans la société actuelle, partout où l'homme possède la terre à titre de propriétaire, ou de fermier, ou de métayer, elle le nourrit, lui, sa famille et ses serviteurs. Il est donc aisé de concevoir qu'en réunissant un grand nombre de familles sur un terrain assez vaste pour les nourrir et offrir tous les avantages de la grande culture, en employant les bras et l'intelligence de tous les membres de l'association, hommes, femmes et enfants ; en les employant aux travaux domestiques, aux arts et métiers, et à diverses industries ; en recherchant d'une part la plus grande somme de produits, et d'autre part la plus grande économie dans le vivre et la dépense : il est évident, dis-je, que la terre exploitée dans ces conditions, ferait vivre dans l'aisance ce nombre de familles, et donnerait un surplus de produits ou bénéfices qui permettrait de toujours étendre graduellement l'association, et de toujours y appeler de nouveaux prolétaires.

Le problème de l'association est donc certainement résolu sous la face matérielle. La face spirituelle ou morale offre de plus grandes difficultés ; et il n'y a que le sentiment d'abnégation, de sacrifice, d'amour du prochain, et d'enthousiasme pour la vertu, il n'y a que le sentiment chrétien qui puisse les résoudre.

CHAPITRE III.

FACE MORALE DE L'ASSOCIATION.

Ces difficultés consistent dans l'organisation même de l'association, dans le lien moral capable de réunir et d'harmoniser des personnes animées d'humeurs différentes, de passions diverses, d'individualités contraires ; ces difficultés consistent surtout dans les garanties de bonnes mœurs, sans lesquelles l'association ne saurait absolument exister.

Le plus simple raisonnement démontre que l'association des familles n'est possible qu'à la condition de l'observance rigoureuse de la loi chrétienne qui ordonne la fidélité dans le mariage, la chasteté hors le mariage, et déclare l'indissolubilité du mariage. Toutes les doctrines socialistes ont péri, ou doivent périr, surtout parce que ne s'appuyant pas sur la loi chrétienne, mais partant au contraire du principe sensualiste et païen, loin de donner des garanties aux mœurs, elles ont prêché inévitablement le désordre et la corruption.

Ici je dirai encore : voyez les monastères où est imposée la loi de chasteté absolue : sera-t-il plus difficile aux hommes et surtout aux femmes, d'observer la fidélité dans le mariage, ce qui est déjà leur devoir positif dans la société actuelle? D'ailleurs il est aisé de se figurer dans une association, où chacun est adonné à une foule de travaux, où l'esprit est animé des plus nobles pensées, et l'âme des plus généreux sentiments, que l'amour ne saurait plus être cette passion dominante, exclusive, capricieuse, qui fait tant souffrir dans nos sociétés ; il est aisé de se figurer que la galanterie, suite de l'oisiveté, y serait totalement inconnue, et que le sensualisme qui engendre toutes les passions désordonnées, aurait peu d'empire en association où tous les ressorts seront employés pour que le principe spirituel l'emporte constamment sur le principe matériel.

Je pourrais citer ici les établissements des frères Moraves, les seules communautés chrétiennes qui réunissent des familles dans leur sein, et où il est sans exemple, comme dans la Sparte antique, que la fidélité dans le mariage ait été trahie.

Je pourrais encore citer les établissements des jésuites au Paraguay, dont Châteaubriand nous donne une si admirable description dans le *Génie du Christianisme,* et où les mœurs étaient pures comme dans les sociétés primitives des chrétiens.

Dans l'association, toutes les mesures doivent être prises pour consolider le lien de la famille, pour entourer de garanties le foyer domestique. La famille est le pivot social ; si elle est atteinte, la société entière est atteinte ; si elle est dissoute, la société est dissoute. La famille renferme pour la créature ici-bas toutes les joies, toutes les vertus, et toutes les récompenses ; l'association nouvelle a pour but, non point d'affaiblir les liens de la famille, mais de les resserrer et les fortifier.

CHAPITRE IV.

AVENIR DE L'ASSOCIATION.

Si l'on demande : l'association va-t-elle couvrir le monde, et embrasser tous ses habitans ? Que deviendront nos villes, nos lois, nos gouvernements, nos institutions actuelles? Quelles seront enfin les destinées ultérieures de l'humanité?

Je réponds :

Qui donc est dans les secrets de Dieu pour entreprendre de dévoiler l'avenir? L'horizon de l'homme est borné : ceci s'adapte à l'intelligence comme au sens visuel. Chaque homme est nécessairement de son siècle; et le plus beau génie ne peut guère embrasser les destinées de l'humanité au-delà du cercle des faits existants. Christophe Colomb en découvrant l'Amérique, crut toucher à l'extrémité des Indes-Orientales, et il mourut sans savoir qu'il avait doté le monde d'un nouveau continent. Il en est de même de tous ceux qui apportent aux sociétés un fait puissant, une idée féconde ; ils ne peuvent juger que des conséquences immédiates de leur découverte, de leur création ? Quant aux conséquences ultérieures, ils ne sauraient même les présumer, puisque ces conséquences se relieront inévitablement à d'autres faits qui n'existent pas encore.

Si l'on demande donc quelles seraient les conséquences immédiates d'un état de choses où tous les hommes participeraient aux bienfaits de la création, cela même on ne saurait le dire, car on ne peut prévoir dans l'état actuel où se porterait l'activité humaine lorsque la nécessité du vivre cesserait d'en être le principal mobile : tout ce que nous pouvons affirmer et prévoir dès aujourd'hui, c'est que l'abolition du paupérisme est le besoin le plus urgent des sociétés modernes, et qu'à mesure que se formeraient des associations assurant à tous le travail, la subsistance, et l'éducation, le sort des travailleurs s'adoucirait proportionnellement dans la société morcelée, car la main-d'œuvre devenant plus rare, les salaires s'élèveraient en raison de leur rareté. Que l'on trouve un moyen d'assurer du travail en dehors des conditions communes, à la moitié des ouvriers, et il est évident que l'autre moitié aura immédiatement le travail assuré, et une augmentation de salaire.

CHAPITRE V.

SPONTANÉITÉ DE L'ASSOCIATION.

Nous avons dit : Le mobile de l'association, c'est le dévouement ; son esprit véritable, le seul qui puisse lui imprimer la vie et le mouvement, c'est la spontanéité.

Nous avons démontré que le principe de l'association ne saurait être autre que le principe chrétien enfantant l'abnégation, le sacrifice, le dévouement.

Il est évident que l'association ne saurait non plus exister que par la spontanéité, c'est-à-dire en se formant d'elle-même, avec des éléments homogènes, et par sa propre force ; car si un seul de ces éléments ne lui est pas homogène, mais est en-dehors d'elle, elle cesse d'être association, et n'est plus que colonisation. Par exemple, vainement de riches particuliers ou le gouvernement même voudraient effectuer l'association d'après les principes que nous avons posés, en donnant des terres et de l'argent, et en appelant un nombre d'individus pour se réunir et exploiter un domaine ; par la raison que ces riches particuliers ou le gouvernement devraient se servir d'agents, et que ces agents seraient un élément étranger au noyau propre de l'association, l'association ne serait autre chose qu'un essai de colonisation soit interne, soit externe, et l'expérience enseigne que ces essais ont presque toujours échoué quand le gouvernement ou des particuliers en ont pris l'initiative.

Si nous consultons l'histoire, nous verrons que les colonisations n'ont réussi dans l'antiquité et dans les temps modernes, que lorsque les colons se réunissant sous la conduite d'un chef, allaient spontanément fonder une colonie dont eux-mêmes créaient et faisaient respecter les lois. Dans l'antiquité, nous voyons entre autres faits mémorables, les Troyens sous la conduite d'Énée, venir coloniser l'Italie ; dans les temps modernes, nous sommes surtout frappés de la fondation de Philadelphie, berceau des États-Unis, par une so-

ciété de Quakers sous la conduite de William
Penn.

Nous voyons au contraire les essais de colonisation dans les Indes et dans l'Australie, dirigés
par des compagnies ou par le gouvernement,
n'engendrer que la domination, l'exploitation, et
la plus triste servitude des masses ; nous voyons
les essais récents de colonisation en Amérique,
n'aboutir qu'à l'anarchie, la misère, et la mortalité : nous voyons les essais actuels de colonisation en Algérie, n'aboutir comme la conquête
même du pays, qu'à des avances excessivement
onéreuses du gouvernement.

Nous l'avons déjà dit, le gouvernement ou des
capitalistes, peu importe, s'ils tentent des essais
de colonisation, soit extérieure, soit intérieure,
emploient nécessairement des agents, créent une
administration spéciale. Or, cette administration
est par elle-même une si grande charge, elle entraîne de si graves abus de dilapidations, de
vexations, et de petites tyrannies, que la colonisation toujours entravée par les discordes et les
révolutions intestines, ne parvient pas à s'organiser, ni à donner les produits matériels dont elle
serait susceptible, et reste par conséquent onéreuse, soit au gouvernement, soit aux particuliers, si
même elle ne tombe tout-à-fait en dissolution..

Nous venons d'en voir un triste exemple dans l'essai de colonisation au Guatimala. N'en doutons point, si les mêmes colons, animés de l'esprit de charité, s'étaient réunis spontanément, en choisissant leurs chefs, et se procurant les avances nécessaires ; si, animés du principe chrétien, ils étaient allés fonder une société chrétienne dans cette partie de l'Amérique, leurs efforts eussent été couronnés de succès ; ils auraient surmonté toutes les difficultés ; leur courage moral eût même combattu victorieusement la mortalité du climat, la terre aurait donné ses fruits, et le sol vierge de ces fertiles contrées eût appelé un nombre de colons toujours croissant. Je ne cesserai de citer à l'appui de cette assertion la fondation de Philadelphie, les établissements du Paraguay.

L'œuvre de colonisation extérieure est toujours environnée de tant de difficultés, il est si pénible de quitter à jamais sa patrie, il faut tant d'efforts aux colons pour combattre à la fois le climat, les naturels, leur propre découragement au milieu des embarras et des privations inévitables d'une première installation ; c'est une œuvre qui exige surtout tant d'union et d'ensemble, que je suis persuadée qu'on ne parviendra à organiser un mouvement régulier et en quelque sorte périodique de colonisation extérieure, qu'autant que ce mouvement sera déjà régularisé pour la colonisation intérieure ; on comprend combien on sauverait de difficultés pour un essai de colonisation extérieure, si l'on pouvait envoyer dans les contrées au-delà des mers des associations déjà toutes formées, toutes organisées, dont les membres seraient parfaitement unis, qui possèderaient dans leur sein précisément le nombre des spécialités nécessaires aux divers travaux, et qui auraient eux-mêmes dès longtemps élu leurs chefs.

Toutefois, nous le répétons, la colonisation libre peut s'opérer spontanément, comme celle des quakers à Philadelphie, sans être encore l'association. Cette dernière seule a pouvoir de détruire le paupérisme, d'organiser le travail, et de créer une société véritablement neuve, véritablement exempte des vices d'organisation de la vieille société.

Les gouvernements ne sauraient réaliser l'association, par cela même que l'association doit être spontanée. Le gouvernement ne saurait imprimer le mouvement d'enthousiasme, qui seul peut ébranler les masses, relier et entraîner toutes les classes dans une même impulsion. Le gouvernement en prenant l'initiative de colonisations agricoles, si sagement organisées qu'elles soient, ne saurait jamais réaliser qu'un bien partiel, qui serait, comme on dit vulgairement, semblable à une goutte d'eau dans la mer, comparativement aux maux immenses du paupérisme.

C'est que le paupérisme n'est pas un mal partiel : il embrasse la société entière. Ce n'est pas le dixième des sociétés qui est dénué de tous moyens d'existence, ce sont les neuf dixièmes. Et encore le dixième de ceux qui possèdent, est-il soumis à des perturbations constantes et à des chances perpétuelles de ruine.

Que le gouvernement crée des colonies agricoles parfaitement organisées et sagement dirigées, qu'il secoure au moyen de ces colonies des milliers de prolétaires, il n'en restera pas moins des millions de malheureux, les uns ne possédant rien, les autres possédant peu de chose. La société n'en sera pas moins dominée par la force fatale et aveugle du capital dont l'absorption toujours croissante resterait cause permanente de misère.

Le gouvernement ne saurait agir que sur un nombre d'individus excessivement limité comparativement à la masse des prolétaires ; le gouvernement ne saurait réunir l'industrie à l'agriculture, car il risquerait, en créant des ateliers de travail, de nuire à l'industrie libre ; le gouvernemenť n'aurait le pouvoir, dans ces colonies agricoles, que d'y attirer les plus pauvres, les plus ignorants, les plus vicieux. Or, quel bien résulterait pour l'humanité du contact du vice avec le vice, de l'ignorance avec l'ignorance, de la misère avec la misère?

Ne demandons aux gouvernements que ce qu'ils peuvent donner, des institutions bienfaisantes, des palliatifs aux misères sociales. Demandons l'amélioration des prisons et des hôpitaux; demandons une extension croissante à l'instruction primaire ; demandons la création de crèches, de salles d'asile, d'ateliers de travail pour les jeunes filles; demandons une organisation toujours plus large des maîtres des pauvres, et des secours à domicile; demandons des colonies agricoles, et le défrichement des landes et des bruyères ; demandons d'étendre à toutes les branches d'industrie, l'admirable institution de la caisse de secours mutuels qu'a fondée en 1845, M. Dechamps, alors ministre des travaux publics en Belgique, pour les employés et les ouvriers attachés aux chemins de fer. Là est la tâche du gouvernement; là nous pouvons réclamer le concours des riches. Mais il n'est pas au pouvoir des riches, ni du gouvernement, d'extirper le paupérisme, de couper la racine du mal. Cette œuvre ne saurait être produite que par la charité ardente et spontanée qui animait les saint Bernard et les saint Vincent de Paul. Celui qui veut sincèrement l'association doit la sentir dans son cœur, doit l'effectuer de sa personne. S'il est riche, il doit partager ses richesses, et répéter les paroles de Jésus-Christ : *Suivez-moi, soyez avec moi.* Avec ses richesses il doit acquérir de la terre, et appeler ses disciples pour la féconder, et témoigner au monde *comment la terre nourrit l'homme à la condition de son travail.* S'il est pauvre, il doit, comme Loyola, convertir deux disciples, et à trois ils doivent s'associer de cœur et de biens, et chercher un coin de terre à féconder. Ils doivent, lorsqu'ils seront douze, s'ils ont un saint Bernard à leur tête, aller défricher les campagnes les plus incultes, les changer en terres fertiles, et élever de leurs mains leurs habitations. Ils doivent témoigner de la puissance du travail, de la puissance de l'union, de la puissance du principe évangélique.

Pourquoi le prolétaire ne rentrerait-il pas graduellement et pacifiquement par la voie d'association et d'organisation du travail dans la possession du sol ? Lorsque le protestantisme éclata, le clergé et les monastères possédaient généralement presque les deux tiers du sol, que le travail des moines et les donations des fidèles avaient mis graduellement au pouvoir de l'Église. En France, lors de la révolution de 89, les deux tiers du sol appartenaient encore au clergé et aux monastè - res ; et cependant le clergé et les ordres monasti- ques ne forment qu'une corporation dans l'Etat ; tandis que l'association des travailleurs représen- terait le corps même de la nation, comprendrait toutes les classes de la société, toutes les faces de la vie humaine. On peut donc augurer que les tra- vailleurs s'empareraient graduellement du sol par la voie pacifique de l'association, et comme le principe fondamental de leur constitution serait de ne jamais rendre le sol au capital, viendrait le moment où le travail aurait une valeur supérieure à celle du capital, c'est-à-dire où le capital ne trouverait plus de bras à acheter, et devrait né- cessairement céder le sol au travail, n'ayant plus de salariés qui consentissent à l'exploiter à son profit.

Ici nous découvrons dans l'avenir l'action sa- lutaire qu'un sage gouvernement pourra exercer sur l'œuvre d'association, lorsqu'elle aura pris son développement et donné d'incontestables ré- sultats. A cette époque le législateur ne pourra plus reculer devant diverses mesures déjà récla- mées par l'opinion, telles que des arrangements avec les communes pour les terres dites commu-

nales, afin de les mettre en vente, la mise en
vente de toutes les landes, bruyères, et terres incultes appartenant à l'État ; enfin une grande extension donnée à la loi sur l'expropriation pour
cause d'utilité publique. C'est par toutes ces mesures progressives que le législateur s'associera
au mouvement de rénovation , et même qu'il
lui appartiendra en quelque sorte de le diriger.

CHAPITRE VI.

INITIATIVE DE L'ASSOCIATION.

Je voudrais considérer ma tâche comme termi-
née. Je crois avoir suffisamment déterminé les bases de l'association, et développé ses principes essentiels, le dévouement et la spontanéité. Je crains,
en entrant plus avant dans les moyens d'initiative et de réalisation, de tomber dans le défaut des

faiseurs de théorie; et, pour ma part, je préfère
un commencement d'exécution, le moindre bien
accompli, aux plans les plus magnifiques. Toutefois, comme on pourrait être désireux d'avoir
quelque idée précise à ce sujet, voici ma propre
pensée, et comment, si jamais Dieu m'en donne les
moyens, je prendrais l'initiative de l'organisation
du travail et de l'abolition du paupérisme, par voie
d'association :

Je me rendrais acquéreur d'un vaste terrain,
partie en friche, partie en culture, je le paierais
en totalité ou en partie, me réservant d'éteindre
la dette par versements annuels. Je ferais bâtir,
d'après le plan de l'abbé Landman (*Colonisation
agricole, industrielle en Algérie*), une vaste ferme
qui pourrait loger cent familles. Je fonderais à
perpétuité (à l'instar des crèches récemment établies à Paris) (7) cent lots de terrains représentés
par deux cents hectares ; à chaque lot serait attaché le logement pour une famille dans la ferme
commune, et la participation aux instruments de
travail. Les cent lots fondés à perpétuité pour

(7) A l'instar aussi des lits fondés à perpétuité dans
les hôpitaux, des prix académiques fondés à perpétuité, des bourses fondées à perpétuité dans les
collèges.

cent familles, bien qu'égaux, seraient gradués en valeur depuis 500 francs jusqu'à 50,000 francs , selon le degré d'aptitude des sociétaires.

Par exemple, l'agriculteur, l'artisan, le chef d'atelier, ces hommes laborieux et robustes, dont les travaux sont indispensables, n'auraient à verser que 500 francs (ou bien on les verserait pour eux), pour jouir perpétuellement, à la condition du travail, d'un minimum d'entretien pour eux et pour leur famille, et d'une part annuelle dans les bénéfices. Les hommes *au-dessus de la classe ouvrière* (pour parler le langage usuel), et dont le travail serait moins important et moins productif, feraient des versements gradués d'après leurs talents et leurs moyens de fortune , jusqu'à concurrence de 50,000 francs.

Ces versements seraient calculés et échelonnés de manière à atteindre précisément le total de l'avance de capital faite pour le terrain, les bâtiments, les instruments de travail, les métiers et industries, et le minimum de la première année. Supposons que ce capital s'élevât à 1,218,000 francs : on le couvrirait par la valeur des lots gradués selon le tableau suivant :

5 lots à 50,000 fr.   font 250,000 fr.
5   —   45,000   —   225,000
5   —   30,000   —   150,000
5   —   25,000   —   125,000
5   —   20,000   —   100,000
                                 ____
                  Total. . . 850,000

5 lots à 15,000 fr.   font   75,000 fr.
5   —   10,000   —   50,000
5   —   9,000   —   45,000
5   —   8,000   —   40,000
5   —   7,000   —   35,000
                                 ____
                  Total. . . 245,000 fr.

5 lots à 6,000 fr.   font   30,000 fr.
5   —   5,000   25,000
5   —   4,000   20,000
5   —   3,000   —   15,000
5   —   2,000   —   10,000
                                 ____
                  Total. . . 100,000 fr.

5 lots à 1,500 fr.   font   7,500 fr.
5 —   1,000   —   5,000
5 —   900   —   4,500
5 —   700   —   3,500
5 —   500   —   2,500

Total. . . 23,000 fr.

Récapitulation :

850,000 fr.
245,000
100,000
23,000

Total général. . . . 1,218,000 fr.

Si la totalité du terrain était de 600 hectares, il serait susceptible d'une augmentation graduelle de deux fermes, et d'une augmentation proportionnelle d'instruments de travail et d'un *cheptel*, à mesure qu'on défricherait la partie de terrain inculte, et qu'on établirait des métiers et des industries.

Lorsque j'aurais fait bâtir la première ferme,

qu'il y aurait au moins deux cents hectares de terrains en rapport, et que j'aurais établi le nombre d'industries et de métiers proportionnés au nombre des travailleurs, je réunirais aussitôt vingt-cinq familles dont les membres seraient parfaitement aptes aux travaux essentiels d'agriculture, d'industrie et de ménage, et je leur ferais don, au nom de l'association, des vingt-cinq lots fondés à perpétuité, de la valeur totale de 23,000 francs. Les autres soixante-quinze lots seraient donnés graduellement à d'autres familles qui effectueraient les versements dans les proportions dites jusqu'à concurrence de 1,218,000 fr.

Ces soixante-quinze lots, égaux de fait, mais dont néanmoins les versements gradués iraient toujours s'élevant, seraient donnés en proportion de leur valeur fictive à des personnes riches, ou possédant du moins quelque fortune, et qui, par cela même, seraient peu propres aux rudes travaux de l'agriculture, de l'industrie et du ménage.

Autrement dit, l'apport du capital serait en raison directe de l'insuffisance des forces et des spécialités, et en raison inverse de la valeur des sociétaires en tant que travailleurs.

Toutefois, le travail serait obligatoire pour tous,

mais proportionné aux forces et aux capacités de chacun.

Qu'il y ait vingt-cinq familles dont le travail ne serait presque point productif, comme les versements de ces familles, en les supposant possesseurs des vingt-cinq lots les plus élevés, se monteraient à 850,000 francs, ce qui donne au taux de 5 pour 100 un intérêt annuel de 42,500 francs, cet intérêt suffirait, et au-delà, à l'entretien de ces familles qui, de la sorte, ne seraient jamais une charge à l'association.

A mesure de ces versements, l'association rentre dans l'avance de son capital (de quelque part qu'elle lui ait été faite); et, qu'on le remarque bien, l'association n'a point d'intérêt ou de rente à payer, puisqu'elle possède la totalité de l'immeuble, et que le capital ne lui est aucunement associé.

Par la seule considération que l'association possède l'immeuble, et n'a point à faire *la part du capital*, il est évident que l'existence de ses membres est assurée dès les commencements, puisque, d'une part, ils consomment sur lieux la majeure partie des produits du sol, ce qui est d'une immense économie, et que, d'autre part, ils vendent à l'extérieur une partie des produits agricoles ,

et presque la totalité des produits manufactu-
rés.

La famille qui voudrait se retirer, ou bien qui serait renvoyée, recevrait la somme précise qu'elle aurait versée pour la jouissance de son lot, sans intérêt ni augmentation d'aucune sorte. Le lot, devenu ainsi vacant, serait donné à une autre famille.

Chaque associé, riche ou pauvre, ne serait tenu qu'au versement proportionné à la valeur du lot; il ne contracterait d'engagement que celui de participer aux travaux selon ses capacités, et d'obéir aux réglements intérieurs. Du reste, chaque associé pourrait conserver la totalité de sa fortune en dehors de l'association, et disposer du revenu au-dedans. Nous expliquerons tout-à-l'heure comment le riche, en association, ne saurait faire qu'un noble emploi de sa fortune.

La terre, les bâtiments, les instruments de travail, le mobilier nécessaire, forment la richesse collective et inaliénable de l'association. Cette richesse, comme on l'a vu, est partagée en cent fondations perpétuelles, par ferme de deux cents hectares. Elle est donc inaliénable et indivisible devant la loi, sans devenir ce qu'on appelle propriété de main-morte. Elle n'appartient à qui que ce soit en propre, puisque chacun qui l'occupe peut être renvoyé; elle devient positivement le domaine du prolétariat, et base de la sorte un droit indestructible au travail.

L'association, qui n'est autre que la réunion de tous les membres qui la composent, assure à tous, c'est-à-dire assure à elle-même le nécessaire en vêtements et en nourriture. Ce nécessaire, proportionné aux bénéfices, aux produits de la terre et des industries, est susceptible de s'accroître.

Les bénéfices ne peuvent manquer de s'accroître considérablement. D'abord les associés sont propriétaires, et ne paient point de rente; ensuite tous sont travailleurs, et participent aux travaux agricoles, industriels, domestiques, artistiques, ainsi qu'à l'enseignement théorique et pratique, ce qui rend la main-d'œuvre ou travail, ainsi que le talent, absolument gratuits; enfin la réunion d'un nombre de métiers ou d'industries, où les machines suppléent autant qu'il est nécessaire aux forces des travailleurs, tous ces moyens de production et d'économie réunis, laissent présumer des bénéfices considérables, et qui tendent toujours à s'augmenter.

Chaque année les bénéfices seront répartis comme il suit : 1° on déduira les avances et les frais pour l'année courante ; 2° il y aura une part des bénéfices destinée perpétuellement à former un fond pour la création de nouvelles fermes. Ce fond sera accru de tous les dons qui auront pour objet la fondation de nouveaux lots ; 3° il y aura enfin une part dont on fera un partage égal entre tous les sociétaires adultes , sans distinction de riches et de pauvres, sans égard au plus ou moins de travail , au plus ou moins de talent dont ils auront fait preuve dans le courant de l'année.

Cette répartition égale des bénéfices ne doit pas être considérée comme récompense ; nous avons posé en principe que l'association ne récompense ni les travaux, ni les talents, ni les services rendus, par de l'argent. La répartition égale a un autre but. Le minimum doit être nécessairement uniforme pour tous les sociétaires, et cependant cette uniformité n'est pas dans la nature ; au contraire, la variété des goûts, et l'esprit de propriété sont dans la nature: ce petit capital est donc donné annuellement à tous les sociétaires , afin que chacun puisse se procurer les objets pour lesquels il a un goût ou une habitude particulière; il est utile aussi que chacun *possède* quelque chose en propre, afin de pouvoir *donner*, et obéir ainsi à l'impulsion la plus noble du cœur.

Les riches, avons-nous dit, pourront jouir de

leurs revenus en association, ou même y réaliser s'ils le veulent, la totalité de leur fortune. Ils se trouvent simplement empêchés de faire acquisition de ce qui forme la richesse collective, c'èst-à-dire le sol, les bâtisses, les métiers et industries, les instruments de travail. Le plus riche ne peut avoir d'autre logement que celui qui lui est assigné, ni la jouissance particulière d'une seule parcelle de terrain; s'il a le goût de bâtir, s'il crée des industries, s'il fait achat de terrains, ou bien présente des plans de défrichements, ce ne peut être que pour établir de nouvelles fermes, fonder de nouveaux lots à perpétuité, et augmenter la richesse collective. Il ne peut non plus songer à satisfaire aucun vice, ni l'intempérance, ni le jeu, ni la débauche, car chacun de ces excès le ferait expulser. Le riche comme le pauvre ne pourra que satisfaire des goûts non nuisibles; il ne saurait utiliser sa fortune qu'en la consacrant au bien commun, en la faisant devenir propriété collective.

L'association se charge de l'entretien des enfants et de leur éducation, du soin des malades, des infirmes et des vieillards.

Une chapelle ou petite église est annexée à chaque ferme. Chaque ferme possède un prêtre dans son sein, qui non-seulement enseigne la religion et administre les sacrements à tous les âges, mais encore exerce une grande influence morale.

Un médecin-chirurgien fait aussi partie de l'association.

Tous les enfants, sans distinction de naissance, reçoivent le développement intégral de leurs facultés physiques, morales et intellectuelles, et à mesure qu'ils acquièrent de la force et de l'intelligence, ils sont classés dans les divers travaux selon leurs capacités et leurs aptitudes.

Chaque sociétaire est tenu au travail ; chacun peut embrasser, s'il veut, diverses branches de travaux; la plupart sont tenus à dix ou douze heures de travail par jour.

Il y a exception pour les hommes spécialement adonnés aux arts, ou bien aux travaux de l'intelligence, et dont la majeure partie du temps est employée à des études spéculatives et à la méditation. Ces hommes qui forment la classe des savants et des artistes, ne sont tenus qu'à donner plusieurs heures à l'enseignement : le reste du temps leur appartient.

Il y a des logements séparés de l'habitation commune, destinés spécialement aux hommes d'étude qui recherchent la solitude et le silence.

Dans tous ses rapports avec l'extérieur, l'association reconnaît le gouvernement et les lois établies, et ne recherche ses moyens d'existence et d'extension qu'à l'aide du gouvernement et des lois.

A l'intérieur, l'association a son organisation et ses lois particulières, qui toutefois n'ont rien de secret, ni d'opposé aux lois du pays. Toute l'organisation intérieure de l'association repose d'abord sur la double hiérarchie entre tous les membres, hiérarchie des capacités positives, et hiérarchie des facultés morales et intellectuelles. Elle repose ensuite sur la double élection à laquelle ont droit tous les membres pour classer chaque sociétaire selon ses capacités positives et selon ses capacités morales.

Il est très aisé de se figurer comment chaque groupe dans les travaux élit le plus capable pour chef ; et comment tous les membres réunis choisissent par voie d'élection les plus capables de diriger moralement la société, ou bien d'administrer matériellement ses intérêts.

Il est très aisé aussi de se figurer à la tête de cette organisation, tout en haut de l'échelle de cette hiérarchie, un chef unique, le plus capable, par ses facultés morales et intellectuelles, celui qui a donné le plus de gages à l'association par ses vertus, son dévouement et sa sagesse, celui qui a le plus le don de concilier les esprits, et d'inspirer le respect et l'affection.

La loi civile qui régit l'association est en même temps la loi religieuse. Tout ce que la loi de Dieu défend, la loi civile le défend ; tout ce que la loi de Dieu punit, la loi civile le punit. Il n'est pas besoin de code écrit, car le code existe ; tous ceux qui ont les premières notions de morale et de religion savent ce qui est défendu, ce qui est vice, ce qui est crime. Dans la société actuelle, la loi civile punit ce qui porte atteinte à l'ordre public et à la propriété ; mais elle ne punit point les fautes et les vices qui sont contre la loi religieuse ; elle n'atteint point la cupidité, l'avarice, l'intempérance, l'orgueil, la paresse, l'envie, la luxure; elle n'atteint point l'impiété envers Dieu et envers les parents, ni le sentiment de personnalité poussé jusqu'aux limites les plus odieuses. Non-seulement la loi civile, dans la société actuelle, n'atteint point les vices, mais elle les tolère et les encourage même sous beaucoup de rapports. C'est en ce sens que la loi civile est aujourd'hui en désaccord avec la loi religieuse. En association, le vice sera défendu comme le vol et comme l'assassinat, et on exigera l'observance de la loi religieuse comme de la loi civile : dès-lors, par une conséquence rigoureuse, la loi civile deviendra la loi religieuse même, et il y aura unité dans la législation.

L'unité dans la législation rendra seule possible une éducation véritablement nationale; car l'unité dans la loi morale, civile et religieuse, est le seul principe qui puisse engendrer l'unité dans l'éducation. Le mot de nationale appliquée à l'éducation n'a point de sens, s'il ne comprend l'unité dans les principes qu'on inculque aux hommes depuis la tendre enfance jusqu'à l'âge le plus avancé.

L'éducation unitaire ne deviendra possible qu'en association, tant sous la face morale que sous la face matérielle. Ce sera en même temps l'éducation dans son principe d'unité qui cimentera l'association, et aura véritablement puissance de changer le monde, en modifiant les hommes.

Les moyens de répression en association se borneront à la réprimande secrète, la réprimande publique, et l'exclusion.

Telles sont les bases générales de l'association telle que je la conçois. Je suis bien loin de les donner pour règle certaine, puisque ma persuasion est qu'il faut s'associer d'abord, se réunir quelques-uns dans un même esprit et une même volonté, puis ensuite tracer les constitutions de la société nouvelle. Je n'ai voulu que donner corps à l'association, faire comprendre la possibilité de l'initiative, faire connaître les éléments qu'il suffit de réunir. J'ai voulu marquer les points de ressemblance en même temps que les différences essentielles qui doivent exister entre les communautés religieuses qui depuis dix-huit siècles se sont répandues dans tout le monde chrétien sans discontinuité, et l'association des familles basée sur le même principe évangélique : association qui aura seule puissance d'abolir le paupérisme, d'organiser le travail, et de créer l'éducation nationale, les trois besoins les plus urgents de l'époque, et qui attirent forcément l'attention de tous les esprits, la sollicitude de tous, les gouvernements.

On pourrait adresser une objection grave au plan d'association que j'expose; on pourrait dire : vous avez pour but l'abolition du prolétariat, et cependant nous ne voyons point la place que vous faites au prolétaire dans vos fermes agricoles-industrielles. Pour y être admis il faut nécessairement verser un capital, ou bien posséder des spécialités tellement nécessaires, que l'association verserait ce capital au nom de l'ouvrier, de l'agriculteur, du chef d'atelier qu'elle veut acquérir comme sociétaire. Or, les prolétaires de nos sociétés, les prolétaires qui forment positivement les deux tiers de nos sociétés, ne possèdent rien, ne peuvent verser le capital le plus minime, souvent ne connaissent pas même un métier, et par conséquent ne feráient point partie de l'association.

Comment donc l'association aurait-elle puissance d'abolir le paupérisme?

Je réponds :

L'association doit nécessairement exiger de tous ses membres le versement d'un capital gradué selon le degré de fortune de chacun, parce que la première condition de son existence (sous le point de vue pécunier), c'est d'être maîtresse de la terre, c'est de n'avoir point de rente à payer pour le loyer de la terre. Dès-lors elle peut progresser en sécurité ; le produit de la terre fournit à coup sûr la nourriture quotidienne à la grande famille sociétaire qui l'exploite ; il n'y a point de mauvaise chance qui puisse la menacer de disette, ni d'expropriation.

C'est aussi la manière la plus simple de réunir les capitaux nécessaires pour une première association. Cent familles apportant chacune 10,000 fr. donnent immédiatement un million.

Or, combien de familles qui possèdent un peu plus, un peu moins que cette somme dont le revenu ne saurait les faire vivre dans la société morcelée, et qui s'estimeraient heureuses de trouver une existence assurée à ce prix dans l'association. Il ne s'agit que de faire entendre un appel, d'inspirer la confiance, de donner des garanties, de poser un point de ralliement, de communiquer la puissance du dévouement par son propre exemple. Je puis le certifier *par expérience ;* dans cette œuvre qui doit avoir sur la société de si immenses résultats, les difficultés matérielles, et mêmes les difficultés d'organisation, ne sont pas aussi grandes qu'on pourrait l'imaginer ; il est aisé, si l'on est animé soi-même d'une profonde conviction, de réunir des familles honorables, les spécialités nécessaires, les capitaux suffisants ; il est aisé d'organiser les travaux d'après la loi sériaire ; plus aisé encore de trouver de grandes propriétés en pleine exploitation, et qui ne demandent que des acheteurs.

La difficulté réelle, la seule qui existe véritablement, c'est le lien moral. Cette difficulté doit s'aplanir et disparaître par la puissance de la foi catholiqne.

Revenons à cette objection : le prolétaire sera-t-il exclu? Non certes, puisque c'est le prolétaire que nous avons en vue, que c'est pour lui, pour les faibles, les dénués, les ignorants, les malheureux de tous genres, que nous nous assoçions, que nous donnons notre vie goutte à goutte, et toute notre âme sans restriction.

Chacun doit verser une somme égale à la valeur d'un lot ; ceci est la règle fondamentale, règle qui ne saurait souffrir d'exception. Mais l'association se réserve de faire elle-même les versement pour les prolétaires qu'elle admettra graduellement dans son sein.

Chaque année le tiers des bénéfices est affecté à cet usage.

De plus, combien de personnes au-dedans et au-dehors de l'association se feront un bonheur de fonder des lots destinés aux prolétaires, ou bien de faciliter l'entrée dans l'association de telle famille pauvre et honorable qu'elles voudront protéger en effectuant pour cette famille le versement nécessaire.

Tout individu valide, homme ou femme, trouve son emploi dans l'association. A condition qu'il ait de la force, de la santé, du courage, on saura l'employer à la culture de la terre et à diverses industries qui n'exigent que peu d'apprentissage ; c'est la différence essentielle du travail organisé avec le travail tel qu'il est dans nos sociétés.

Remarquons enfin qu'il ne s'agit pas ici de créer une ou plusieurs fermes sociétaires, au moyen desquelles on adoucirait le sort de quelques milliers d'individus. Il s'agit de propager dans la société entière le principe d'association, de l'ébranler, de la rallier, de l'entraîner par la puissance de l'exemple. Chaque ferme sociétaire, en se constituant, a pour but essentiel d'aider à la création d'autres fermes ; elle y travaille de tous ses efforts, elle y travaille non-seulement par le désir, mais encore elle y travaille de fait.

Chaque ferme sociétaire possède dans sa constitution même des moyens d'extension ; elle les possède, avons-nous dit, par le tiers des bénéfices affecté à cet usage, par les dons, et par les fondations gratuites de nouveaux lots à perpétuité. Or, l'extension pour chaque ferme sociétaire, c'est de créer de nouvelles fermes ; l'association ne peut absolument faire un autre usage du tiers de ses bénéfices et des dons affectés à la fondation perpétuelle de nouveaux lots, que d'acheter au moyen de ces capitaux de nouvelles terres, de bâtir de nouvelles fermes, de créer de nouvelles industries, et d'appeler toujours de nouveaux sociétaires. C'est l'impulsion qui lui est donnée par sa constitution même ; aussitôt créée, organisée, elle reçoit chaque jour soit de nouveaux dons, soit des demandes de personnes qui désirent faire partie de l'association, à la condition des versements exigibles ; et chaque jour

l'association poursuit des travaux de défrichement, de culture, de bâtisses, pour préparer l'installation de nouvelles familles, soit dans son voisinage, soit au loin ou dans d'autres contrées. L'association, aussitôt son existence assurée, aussitôt
quelle commence à s'organiser, emploie donc les ouvriers salariés au défrichement des terrains incultes,
à la construction de nouveaux bâtiments, et le nombre de ces ouvriers s'accroît au fur et à mesure
de l'extension des moyens pécuniers de l'association.

Dans l'intérieur même de chaque ferme sociétaire, il est nécessaire d'avoir un nombre d'ouvriers et de domestiques salariés pour certains
travaux de culture, et diverses parties du service
domestique.

Or, dans ma pensée, ces ouvriers, ces domestiques salariés, à l'extérieur et à l'intérieur, formeraient véritablement un corps de novices qui
feraient de la sorte apprentissage des travaux,
s'amélioreraient moralement au contact des sociétaires, et s'initieraient progressivement aux principes d'association. Au bout de quelques années
de noviciat, ces ouvriers et domestiques salariés,
tant ceux employés dans l'intérieur des fermes
que ceux employés au-dehors, recevraient successivement des lots, fruit des dons faits à l'association, ainsi que du tiers de ses bénéfices, sans

compter les épargnes sur les salaires ; ces ouvriers deviendraient sociétaires sur le pied d'égalité de tous les autres sociétaires, en souscrivant
à la même règle, en s'engageant aux mêmes
devoirs, à la condition de droits identiques.

Ainsi les prolétaires entreront graduellement
dans l'association, à mesure qu'ils seront régéné-
rés par le noviciat ; et quand je dis les prolétaires, j'entends non-seulement l'ouvrier dénué,
l'ouvrier des fabriques expulsé par les machines,
et dont le travail n'a jamais consisté que dans
une sorte de mécanisme devenu inutile, enfin
l'ouvrier honnête et laborieux qui ne demande
que du travail ; j'entends encore le mendiant, le
vagabond, le repris de justice, enfin le prolétariat sous toutes ses faces les plus infimes, les plus
hideuses. On doit le comprendre : ce prolétariat
hideux ne saurait être la base d'une association
véritable, d'une rénovation sociale ; mais graduellement il doit en faire partie, et, en même temps,
tout ce que cette classe a de hideux et de triste
doit disparaître.

Nous nous associons d'abord, nous qui appar-
tenons aux classes éclairées, nous, dont la vie
est pure, dont la réputation est sans tache ; mais
nous nous associons surtout pour tendre une
main secourable à tous les malheureux et les

élever jusqu'à nous par l'exemple, par le travail, par la moralisation, pour en faire véritablement nos égaux, nos frères ; et c'est en tendant la main aux malheureux, qu'après avoir fait choix des plus dignes, nous irons de degrés en degrés jusqu'aux plus indignes, descendant toujours par les objets de notre commisération, nous élevant en proportion par le sentiment vivace de la charité.

Si j'ose ici exprimer toute ma pensée, cette armée mobile de prolétaires, travailleurs salariés, qu'enrôlerait graduellement l'association pour lui faire accomplir l'œuvre de préparation des fermes sociétaires (quant aux défrichements et aux constructions), cette armée mobile des prolétaires travailleurs, formant le noviciat de l'association nouvelle, commencerait déjà à réaliser la belle conception de Charles Fourier au sujet des armées industrielles, conception qui peut seule, même dans l'ordre actuel, résoudre les difficultés énormes du licenciement graduel des armées, commandé chaque année plus impérieusement par le besoin de paix et les nécessités de la paix.

Toutes les questions sociales se touchent, s'enchaînent, et leurs conséquences se déduisent mu-

tœllement : trouver la solution radicale d'une
seule, c'est trouver la solution de toutes.

Pour résumer la totalité de notre travail, nous
disons : Les droits des prolétaires sont tous compris dans *le droit au travail ;* par le seul fait
qu'ils posséderaient ce droit, tous les autres droits
leur seraient assurés. Nous disons que dans une
société *bien organisée,* en même temps que les
droits des prolétaires se résument dans le droit
au travail, *les devoirs des prolétaires* se résument
dans la soumission à l'ordre établi et l'observance
de tous les devoirs moraux, civils et religieux.
Nous avons dit qu'une société bien organisée est
précisément une société constituée de telle manière qu'elle puisse assurer au prolétaire le droit
au travail, et, par conséquent, abolir le paupérisme ; nous avons ajouté que le droit au travail
suppose l'organisation du travail, que l'organisation du travail ne saurait s'effectuer que par l'association, et que l'association des travailleurs doit
avoir pour base matérielle la possession du sol.
Nous avons dit que les gouvernements sont inha-
biles à créer l'association, et, par conséquent,
l'organisation du travail, par la raison qu'ils ne
peuvent agir sur les masses que par l'action d'a-
gents salariés et d'une administration onéreuse et

abusive ; nous en avons tiré la conclusion que l'association doit être nécessairement spontanée, et avoir pour lien moral le principe chrétien enfantant le sacrifice, l'abnégation, l'humilité, la charité.

N'oublions pas surtout que l'association doit avoir pour but essentiel d'acquérir la terre, de racheter la terre au nom de tous pour la rendre à tous, d'en faire désormais le domaine inaliénable de l'humanité. C'est absolument la seule voie à suivre pour, d'une part, organiser le travail, et, d'autre part, anéantir graduellement la puissance toujours croissante du capital; puissance qui entretient tous les vices et tous les maux des sociétés, et qui les menace d'une destruction complète.

Ne cessons donc pas de demander à Dieu qu'il envoie sur cette terre un nouveau saint Bernard, un nouveau saint Vincent de Paul, afin que leur parole éloquente électrise le monde, remue l'humanité dans ses entrailles, afin que leur charité ardente se communique à toutes les âmes et accomplisse de nouveaux miracles. Ayons toujours présents à l'esprit que la charité appartient à toutes les créatures, aux plus infimes comme aux plus élevées, et qu'il n'est pas un de nous qui ne puisse rallier, entraîner par l'exemple du dévouement, qui ne puisse jeter les bases indestructibles de l'association, par cette seule parole : *Venez à moi, soyez avec moi, soyons trois unis dans une même volonté, et Dieu sera avec nous.*

FIN.

Table des Matières.

INTRODUCTION.

TROISIÈME PARTIE.

ORGANISATION SOCIALE.

QUATRIÈME PARTIE.

RÉALISATION.

FIN DE LA TABLE.

LAGNY. — Imprimerie de Giroux et Vialat.

OUVRAGES DE Mme GATTI DE GAMOND.

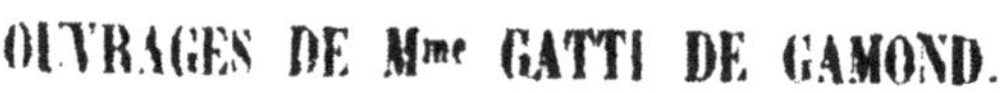

Condition des Femmes.
Devoirs des Femmes.
Esquisses des Femmes.
De l'Éducation publique.
Fourier et son système.
Réalisation d'une Commune Sociétaire.
Bibliothèque d'éducation.

POUR PARAITRE PROCHAINEMENT :

Le Monde invisible.
Dépendances et gloires de la Femme.

— LAGNY. —

Imp. de Giroux et Vialat.